新汉语水平考
模拟试题集

HSK 三级

总策划：董　萃　王素梅
主　编：金学丽
副主编：刘红英　王　江

北京语言大学出版社
BEIJING LANGUAGE AND CULTURE
UNIVERSITY PRESS

主　编：金学丽
副主编：刘红英　王　江
编　者：(以姓氏笔画为序)
于婧阳　王　江　刘红英　金学丽
施　雯　唐淑宏　程润娇　韩　筝

编写说明

新汉语水平考试（HSK）是由中国国家汉办于2009年推出的一项国际汉语能力标准化考试，重点考查汉语为第二语言的考生在生活、学习和工作中运用汉语进行交际的能力。考试共分6个等级的笔试和3个等级的口试。

为了使考生们能够更快更好地适应新的考试模式，了解考试内容，明确考试重点，熟悉新题型，把握答题技巧，我们依据国家汉办颁布的《新汉语水平考试大纲》（HSK一级至HSK六级），在认真听取有关专家的建议、充分研究样题及命题思路的基础上，编写了此套应试辅导丛书。

本套丛书根据新HSK的等级划分分为六册，分别是：

《新汉语水平考试模拟试题集　HSK一级》

《新汉语水平考试模拟试题集　HSK二级》

《新汉语水平考试模拟试题集　HSK三级》

《新汉语水平考试模拟试题集　HSK四级》

《新汉语水平考试模拟试题集　HSK五级》

《新汉语水平考试模拟试题集　HSK六级》

每级分册均由10套笔试模拟试题组成，试题前对该级别考试作了考试介绍，对新模式的答题方法进行了指导；试题后附有听力文本及答案，随书附有听力模拟试题的录音MP3。

本套丛书的主要编写者均为教学经验丰富的对外汉语教师，同时又是汉语水平测试方面的研究者。所有试题在出版前均经参加过新HSK考试的考生们试测。各级试题语料所涉及的词汇及测试点全面覆盖大纲词汇及语法点。我们精心选取语料，合理控制难易程度，科学分配试题数量和答题时间，力求使本套丛书的模拟试题更加接近新HSK真题。

相信广大考生及从事考试辅导的教师们会受益于本套丛书，这也是我们的最大心愿；同时也希望使用本套书的同仁们不吝赐教，提出宝贵意见。

本套丛书各分册配套录音听力试题前的中国民乐由“女子十二乐坊”演奏，在此深表谢意。

《新汉语水平考试模拟试题集》编委会

Preface

The new HSK is a standardized test of international Chinese proficiency launched by Hanban in 2009, which mainly tests the non-native speakers' ability to communicate in Chinese in their life, study and work. There are 6 levels of written test and 3 levels of oral test.

In order to help the test takers get familiar with the mode and questions of the new test, understand its contents and focuses, as well as master the test taking strategies, we have compiled this series of test guides based on the opinions of relevant experts and our sufficient study on the sample tests.

There are 6 books in this series, corresponding to the six levels of the new HSK.

Simulated Tests of the New HSK (HSK Level Ⅰ*)*
Simulated Tests of the New HSK (HSK Level Ⅱ*)*
Simulated Tests of the New HSK (HSK Level Ⅲ*)*
Simulated Tests of the New HSK (HSK Level Ⅳ*)*
Simulated Tests of the New HSK (HSK Level Ⅴ*)*
Simulated Tests of the New HSK (HSK Level Ⅵ*)*

Each book includes 10 written tests. Before the simulated tests is the introduction to the test of the level and the directions for answering the questions of the new mode. The script of the listening section and answers can be found after the tests. An MP3 disc of the recording of the listening section is attached to the book.

All the authors and editors of this series are Chinese teachers with rich teaching experience, as well as researchers of international Chinese proficiency testing. Before publication, all of the simulated tests had been taken by examinees who have taken the new HSK. The test materials at all levels ensure a full coverage of the vocabulary and language points required by the outline of new HSK. The language materials have been carefully selected with thoughtful deliberation, the complexity of the questions has been carefully controlled, and the amount of the questions as well as the time to answer the questions have been arranged reasonably. We have done our best to make the simulated tests of this series more like the real new HSK tests.

We believe that test takers and teachers of HSK will benefit from this book. Also, we sincerely hope that colleagues using this book will render us your criticism and share your precious opinions with us.

Sincere thanks will go to Twelve Girls Band, who have performed the Chinese folk music before each listening test in the audio recordings accompanying the series.

The Compilation Committee of *the Simulated Tests of the New HSK*

目　录

Contents

新汉语水平考试 HSK（三级）

考试介绍

考试对象　参加新 HSK（三级）的考生应已掌握600个左右词语和一些基本语法，有一定汉语基础，可以理解并使用汉语词语和句子，能够进行生活中较复杂的交际，具备进一步学习汉语的能力。

考试内容及时间　新 HSK（三级）笔试分为听力、阅读和书写三个部分，约 90 分钟，包括：

1. 听力（40 题，约 35 分钟）
2. 阅读（30 题，25 分钟）
3. 书写（10 题，15 分钟）

还包括考生填写个人信息 5 分钟，最后写答题卡 10 分钟。

新 HSK（三级）听力试题每题听两次，每个部分各包括 10 道题。内容和要求如下：

听力	第一部分	听对话选择正确图片
	第二部分	听句子判断正误
	第三部分	听对话选择正确答案
	第四部分	听较长对话选择正确答案

新 HSK（三级）阅读试题每个部分各包括 10 道题。内容和要求如下：

阅读	第一部分	根据句子选择上下文
	第二部分	选择词语完成句子或对话
	第三部分	阅读句子或语段选择正确答案

Introduction to the new HSK (Level Ⅲ)

Test takers

The new HSK (Level Ⅲ) is designed for learners who have acquired a vocabulary of approximate 600 Chinese characters and basic Chinese grammar. They are capable of completing, relatively speaking, complicated communicative tasks in Chinese to serve the needs of their personal lives, thus having the ability to continue their Chinese language study.

Contents and time of the test

The new HSK (Level Ⅲ) written test consists of three sections: listening, reading and writing. It is approximate 90-minute long, including:

1. Listening (40 questions, about 35 minutes)
2. Reading (30 questions, 25 minutes)
3. Writing (10 questions, 15 minutes)

It also includes the 5 minutes for test takers to fill in their personal information and the 10 minutes in the end of the test to write the answers on the answer sheet provided.

In the new HSK (Level Ⅲ) listening section, each part includes 10 questions and each question will be heard twice. The questions and the requirements are as follows:

Listening	**Part I**	Listen to the dialogues and choose the right pictures.
	Part II	Listen to the sentences and decide whether the statements are true or false.
	Part III	Listen to the dialogues and choose the right answers.
	Part IV	Listen to the long dialogues and choose the right answers.

In the reading section, each part includes 10 questions. The questions and the requirements are as follows:

Reading	**Part I**	Match the sentences that are closely related in meaning.
	Part II	Choose the right words or expressions to complete the sentences or dialogues.
	Part III	Read the sentences and choose the right answers.

新 HSK（三级）书写试题每个部分各包括 5 道题。内容和要求如下：

书写	
	第一部分　用所给词语整理句子
	第二部分　根据拼音写出句子中正确的汉字

考试成绩　新 HSK（三级）听力、阅读和书写部分满分各为 100 分，总分 300 分，180 分为合格。考试成绩长期有效。作为外国留学生进入中国院校学习的汉语能力的证明，成绩有效期为两年（从考试当日算起）。

Each part in the writing section includes 5 questions. The questions and the requirements are as follows:

Writing		
Writing	**Part I**	Arrange the given words into sentences.
	Part II	Write the right Chinese characters according to the *pinyin*.

Test score

The full score for each of the listening, reading and writing sections in the new HSK (Level Ⅲ) is 100. The total score is 300 and the minimum score to pass the test is 180. The test result has a long-term validity. As a Chinese language proficiency certificate for an international student to apply for Chinese educational institutions, it is valid in two years (starting from the date of the test).

新汉语水平考试 HSK（三级）

答题指南

新 HSK（三级）考试分听力、阅读和书写三大部分，在试题前都给出了示例，要求学生仿照示例完成试题。下面以模拟试卷 1 为例，说明各部分的答题方法。

听 力

听力题每题都听两次，除重复试题时间外，第一部分每题答题时间为 6 秒，第二部分为 8 秒，第三、四部分为 12 秒左右。

第一部分 共 10 个题，每题听两次。这部分试题是根据录音中的对话选择正确的图片。例如，你听到下面的对话：

男：喂，请问张经理在吗？

女：他正在开会，您半个小时以后再打，好吗？

看到以下几张图片：

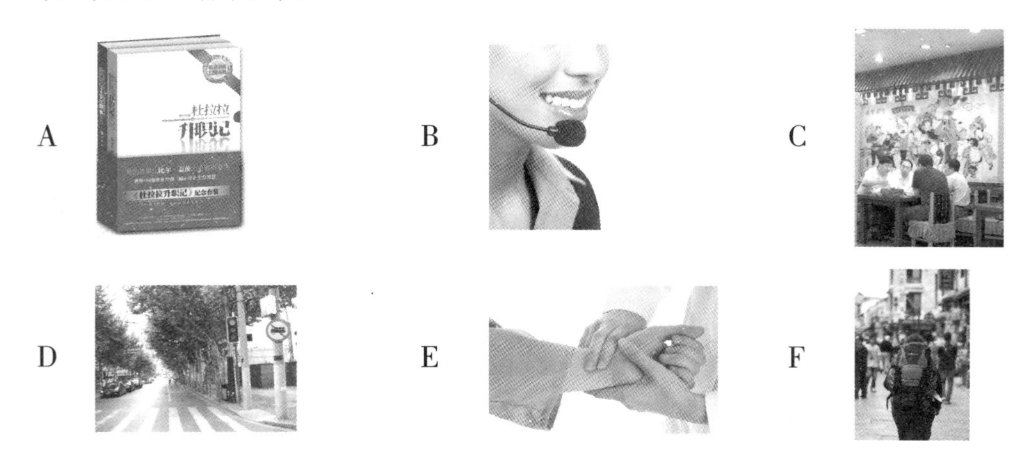

图片 B 是一个人在接电话，为正确选择：B 。

第二部分 共 10 个题，每题听两次。这部分试题是根据录音中的句子判断正误。例如，你听到下面一句话：

Directions for answering the questions of the new HSK (Level Ⅲ)

In the listening, reading and writing sections of the new HSK (Level Ⅲ), examples are given before the test questions. Test takers are asked to answer the questions following the examples. Simulated Test 1 is used as an example to explain how to answer the questions.

Listening

In this section, each question will be heard twice. Then test takers will have around 6 seconds to answer each question in Part 1, 8 seconds for each question in Part 2, and 12 seconds for each question in Part 3 and Part 4.

Part I

There are 10 questions in this part. Each question will be heard twice. You are asked to choose the right pictures according to the dialogues you hear. For example, you hear the following dialogue:

男：喂，请问张经理在吗？
女：他正在开会，您半个小时以后再打，好吗？

And you can see the following pictures:

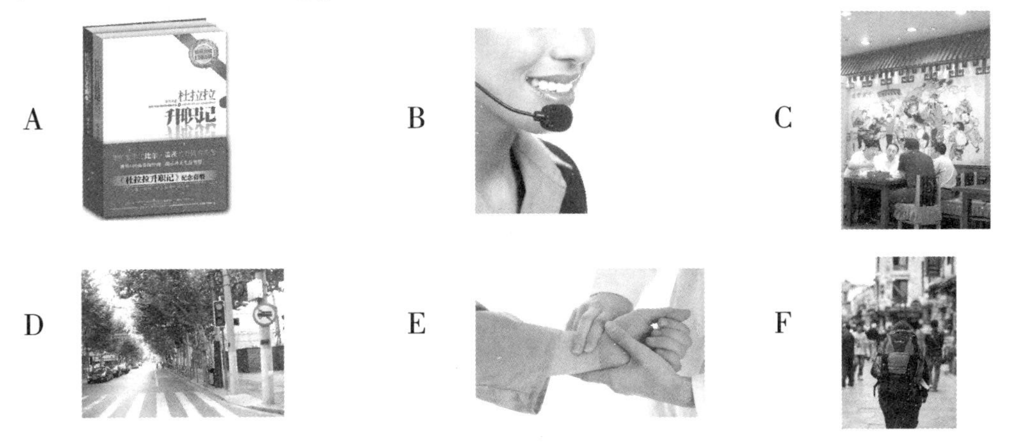

Picture B is the right answer, in which a person is answering the phone.

Part II

There are 10 questions in this part. Each question will be heard twice. You are asked to decide whether the following statements are true or false according to the sentences you hear. For example, you hear the following sentence:

为了让自己更健康，他每天都花一个小时去锻炼身体。

“为了”表示目的，每天花一个小时锻炼身体的目的，是让自己更健康，所以根据听力内容，“他希望自己很健康”这句话是正确的：

★ 他希望自己很健康。 (√)

又如，你听到一句话：

今天我想早点儿回家。看了看手表，才五点。过了一会儿再看表，还是五点，我这才发现我的手表不走了。

根据“我这才发现我的手表不走了”这句话中的“我的手表”可以判断出手表是他的。因此句子“那块手表不是他的”是错的：

★ 那块手表不是他的。 (×)

第三部分 共10个题，每题听两次。这部分试题是根据录音中的对话选择正确答案。例如，你听到下面一段对话：

男：小王，帮我开一下门，好吗？谢谢！

女：没问题。您去超市了？买了这么多东西。

问：男的让小王做什么？

根据对话可知，男的买了许多东西，手里拿着东西不好开门，想让小王帮助开门。因此A“开门”是正确答案：

A 开门 √ B 拿东西 C 去超市买东西

第四部分 共10个题，每题听两次。这部分试题是根据录音中的较长对话选择正确答案。例如，你听到下面一段对话：

女：晚饭做好了，准备吃饭了。

男：等一会儿，比赛还有三分钟就结束了。

女：快点儿吧，一起吃，菜凉了就不好吃了。

男：你先吃，我马上就看完了。

问：男的在做什么？

根据对话，女的做好了饭，要男的准备吃饭，男的说等一会儿，比赛还有三分钟就结束了，让女的先吃，他马上就看完了，可知男的是在家里看比赛，

为了让自己更健康，他每天都花一个小时去锻炼身体。

“为了”indicates the purpose. Spending an hour to do exercises is to make someone more healthy, so the sentence “他希望自己很健康” is the right answer.

★ 他希望自己很健康。 （ √ ）

For another example, you hear the following sentences:

今天我想早点儿回家。看了看手表，才五点。过了一会儿再看表，还是五点，我这才发现我的手表不走了。

It can be inferred from the sentence “我这才发现我的手表不走了” that this is his watch. So “那块手表不是他的” is a wrong sentence.

★ 那块手表不是他的。 （ × ）

Part III

There are 10 questions, each of which will be heard twice. You are asked to choose the right answers according to the dialogues you hear. For example,

男：小王，帮我开一下门，好吗？谢谢！
女：没问题。您去超市了？买了这么多东西。
问：男的让小王做什么？

This dialogue shows that the man has his hands full and wants Xiao Wang to open the door for him. So A is the right answer.

A 开门 √　　B 拿东西　　C 去超市买东西

Part IV

There are 10 questions, each of which will be heard twice. You are asked to choose the right answers according to the long dialogues you hear. For example,

女：晚饭做好了，准备吃饭了。
男：等一会儿，比赛还有三分钟就结束了。
女：快点儿吧，一起吃，菜凉了就不好吃了。
男：你先吃，我马上就看完了。
问：男的在做什么？

According to the dialogue, the woman has cooked the meal and wants to have it with the man. However, the man wants the woman to eat first because the game he is watching will be

是看电视上的比赛。因此试卷上的C“看电视”是正确答案：

A 洗澡　　　　　　B 吃饭　　　　　　C 看电视　√

阅　读

第一部分　共10个题，给出10个对话的上文和下文，要求选择可以搭配的下文和上文。示例句子为：“你知道怎么去那儿吗？”在选项中，F“当然。我们先坐公共汽车，然后换地铁”是合适的下文，因此F是正确答案：

你知道怎么去那儿吗？　　　　（F）

第二部分　共10个题，要求选择词语完成句子或对话。例如，你看到若干个词语，示例句子为：“她说话的（　　）多好听啊！”答案应该选F“声音”：

A 参加　　B 了解　　C 聊天儿　　D 条　　E 有点儿　　F 声音

她说话的（F）多好听啊！

第三部分　共10个题，阅读一小段话，根据问题选出正确答案。例如，你在试卷上看到：

您是来参加今天会议的吗？您来早了一点儿，现在才八点半。您先进来坐吧。

下面就这段话提出一个问题，并给出三个选项：

★ 会议最可能几点开始？

A 8点　　　　　　B 8点半　　　　　　C 9点

阅读后可知，会议在8点半以后开始，因此C“9点”为正确答案：

A 8点　　　　　　B 8点半　　　　　　C 9点　√

书　写

第一部分　共5个题，要求用所给词语整理出完整的一句话。例如：

over in three minutes. It can be inferred that the man is watching the game on TV, so C is the right answer.

A 洗澡　　　　B 吃饭　　　　C 看电视　√

Reading

Part I

There are 10 questions. You are given the preceding sentences and the responses of 10 dialogues and are asked to match each preceding sentence with the right response. For example, for the sentence "你知道怎么去那儿吗？", F "当然。我们先坐公共汽车，然后换地铁。" is the right response. So, F is the right answer.

你知道怎么去那儿吗？　　　（ F ）

Part II

There are 10 questions. You are asked to choose the right words or expressions to complete the sentences or dialogues. For example, for the sentence "她说话的（　　）多好听啊！", choice F, "声音", is the right answer.

A 参加　　B 了解　　C 聊天儿　　D 条　　E 有点儿　　F 声音

她说话的（ F ）多好听啊！

Part III

There are 10 questions. You are asked to read a short passage and choose the right answers. For example,

您是来参加今天会议的吗？您来早了一点儿，现在才八点半。您先进来坐吧。

Then you are given a question and three choices:

★ 会议最可能几点开始？

A 8点　　　　B 8点半　　　　C 9点

According to the above passage, the meeting will stort after 8:30, so C is the right answer.

A 8点　　　　B 8点半　　　　C 9点　√

Writing

Part I

There are 5 questions. You are asked to use the words or expressions given to make a sentence. For example,

小船　　　上　　　一　　　河　　　条　　　有

整理后为：

河上有一条小船。

第二部分　共5个题，要求根据句子中所给拼音写出正确的汉字。例如：

guān

没（　　　）系，别难过，高兴点儿。

正确的汉字写法是“关”。

需要注意的是，新HSK考试答题时先在试卷上作答，考试结束前10分钟再把答案写在答题卡上（把正确的答案√、×或所对应的字母A B C D涂黑，写出正确的句子和汉字）。例如：

1. [√]　[×]　　　　　6. [A]　[B]　[C]

71. 河上有一条小船。

76. 关

小船　　上　　一　　河　　条　　有

After rearranging the words, the sentence is:

河上有一条小船。

Part II

There are 5 questions. You are asked to write the correct Chinese characters according to the *pinyin* given. For example,

guān
没（　　）系，别难过，高兴点儿。

The correct Chinese character is "关"。

It is noteworthy that in the new HSK, you are asked to answer the questions on the test paper and then write the answers on the answer sheet in the last 10 minutes of the test. (Mark √, × or the corresponding A, B, C, or D using a pencil on the answer sheet provided, or write the correct Chinese sentences or characters.) For example,

1. [√]　[×]　　　　6. [A]　[B]　[C]

71. 河上有一条小船。

76. 关

新汉语水平考试

模拟试卷

新汉语水平考试

HSK（三级）模拟试卷 *1*

注　　意

一、HSK（三级）分三部分：

1. 听力（40题，约35分钟）

2. 阅读（30题，25分钟）

3. 书写（10题，15分钟）

二、答案先写在试卷上，最后10分钟再写在答题卡上。

三、全部考试约90分钟（含考生填写个人信息时间5分钟）。

一、听 力

第一部分

第 1–5 题

例如：男：喂，请问张经理在吗？

女：他正在开会，您半个小时以后再打，好吗？ B

1.

2.

3.

4.

5.

第 6–10 题

6.

7.

8.

9.

10.

第二部分

第 11–20 题

例如：为了让自己更健康，他每天都花一个小时去锻炼身体。
★ 他希望自己很健康。 （ √ ）

今天我想早点儿回家。看了看手表，才 5 点。过了一会儿再看表，还是 5 点，我这才发现我的手表不走了。
★ 那块手表不是他的。 （ × ）

11. ★ 他的想法变了。 （ ）

12. ★ 今天他不去上课。 （ ）

13. ★ 他打算回国一个星期。 （ ）

14. ★ 那天麦克的表坏了。 （ ）

15. ★ 他的辅导老师每周辅导他两个小时。 （ ）

16. ★ 上面这段话是在火车站说的。 （ ）

17. ★ 他不用提前买电影票。 （ ）

18. ★ 他姐姐不想结婚。 （ ）

19. ★ 他奶奶身体很好。 （ ）

20. ★ 他不喜欢旅行。 （ ）

第三部分

第 21–30 题

例如：男：小王，帮我开一下门，好吗？谢谢！

女：没问题。您去超市了？买了这么多东西。

问：男的想让小王做什么？

A 开门 √ B 拿东西 C 去超市买东西

21. A 买相机 B 打电话 C 照相

22. A 买鞋 B 换鞋 C 退鞋

23. A 坐汽车 B 骑自行车 C 打车

24. A 第一个路口 B 走五六十米后 C 不用拐弯

25. A 这站 B 学校正门 C 学校北门

26. A 5：45 B 6：00 C 6：15

27. A 不太好 B 好极了 C 还可以

28. A 食堂 B 教室 C 商店

29. A 大夫 B 老师 C 律师

30. A 可乐 B 雪碧 C 绿茶

第四部分

第 31–40 题

例如：女：晚饭做好了，准备吃饭了。
男：等一会儿，比赛还有三分钟就结束了。
女：快点儿吧，一起吃，菜凉了就不好吃了。
男：你先吃，我马上就看完了。
问：男的在做什么？

A 洗澡　　B 吃饭　　C 看电视 √

31. A 图书馆　　B 商店　　C 书店

32. A 同事　　B 夫妻　　C 朋友

33. A 去　　B 不去　　C 不一定

34. A 5 月 1 号　　B 10 月 1 号　　C 10 月 11 号

35. A 没看过　　B 看过　　C 不知道

36. A 一样　　B 比以前早　　C 比以前晚

37. A 学生　　B 不知道　　C 老师

38. A 外国留学生　　B 中国学生　　C 中国老师

39. A 校长　　B 妻子　　C 妹妹

40. A 头疼　　B 腿疼　　C 肚子疼

二、阅 读

第一部分

第 41–45 题

A 我常去图书馆借小说。

B 他在做什么呢？

C 玛丽，你要去哪儿？

D 我想买一套纪念邮票。

E 妈妈的生日是 1 月 30 号，正好是星期六。

F 当然。我们先坐公共汽车，然后换地铁。

例如：你知道怎么去那儿吗？　　（ F ）

41. 我出来的时候，他正在写作业呢。　　（　　）

42. 你看看，这几套怎么样？是新出的。　　（　　）

43. 我也常去，我去那儿查资料。　　（　　）

44. 我们给她订个生日蛋糕吧。　　（　　）

45. 我去邮局寄信，顺便去书店买一本词典。　　（　　）

第 46-50 题

A 老师，我对中国书法很感兴趣。

B 其中有一家在图书馆里面，那里的书很便宜。

C 太好了！我们班同学都去吗？

D 不会，但是我很想学。您能给我介绍一位老师吗？

E 谢谢老师，我很想去，就怕演不好。

46. 麦克，明天我们去爬山，好吗？ (　　)

47. 山本，你能谈谈自己的爱好吗？ (　　)

48. 学校里面有两家书店。 (　　)

49. 你会弹钢琴吗？ (　　)

50. 罗兰，学校的新年晚会想请你表演一个汉语节目，你愿意去吗？ (　　)

第二部分

第51–55题

A 参加　　B 了解　　C 聊天儿　　D 条　　E 有点儿　　F 声音

例如：她说话的（　F　）多好听啊！

51. 他常常上网跟朋友（　　）。

52. 我今天（　　）累，不去打篮球了，想在宿舍休息。

53. 虽然京剧不容易懂，但是我们应该（　　）京剧。

54. 我试试这（　　）裤子可以吗？

55. 留学生的圣诞节晚会，我一定会（　　）。

第 56-60 题

A 看看　　B 锻炼　　C 刻　　D 爱好　　E 意思　　F 努力

例如：A：你有什么（ D ）？
B：我喜欢体育。

56. A：请问现在几点？
B：请等一下，我（　　）手表。

57. A：你能告诉我这个词是什么（　　）吗？
B：这个词表示“喜欢”。

58. A：她的考试成绩真好。
B：她学习非常（　　），每天都学习到很晚。

59. A：他好像从来都不生病。
B：他身体很好，每天都坚持（　　）。

60. A：明天我们几点出发？
B：明天早上我们九点一（　　）从学校出发。

第三部分

第 61–70 题

例如：您是来参加今天会议的吗？您来早了一点儿，现在才 8 点半。您先进来坐吧。

★ 会议最可能几点开始？

A 8 点　　B 8 点半　　C 9 点　√

61. 李经理周末在家休息，我星期六或者星期天去他那儿。

★ 他可能星期几去李经理那儿？

A 星期二　　B 星期五　　C 星期天

62. 麦克，咱们先去打篮球，一会儿再做练习吧。

★ 他让麦克现在做什么？

A 去踢球　　B 做练习　　C 去打篮球

63. 小李，下课后先不要回家，我们一起去吃饭，然后我请你看电影。

★ 小李下课后先做什么？

A 回家　　B 吃饭　　C 看电影

64. 他们 6 点就走了，你们来晚了。

★ 现在大概几点？

A 5 点　　B 6 点　　C 6 点多

65. 我们 8 点 10 分在火车站见，不是在汽车站，别迟到。

★ 他们在哪儿见面？

A 汽车站　　B 火车站　　C 机场

66. 哎，小王，快当妈妈了，高兴吧？

★ 小王怎么了？

A 当妈妈了　　B 快生孩子了　　C 很高兴

67. 那本《中国文化》我看完以后借给小丽了，小丽看完了就还给小张了。

★ 那本《中国文化》是谁的？

A “我”的　　B 小丽的　　C 小张的

68. 你买的照相机的价钱跟我买的价钱不一样，贵 300 多块钱。

★ 这句话的意思是：

A “我”买的照相机比你的贵

B “我”买的照相机 300 多块钱

C “我”买的照相机比你的便宜

69. 我想送给爸爸一件衬衫，可是妈妈已经买了。哥哥说他也准备好礼物了。妈妈让我送爸爸一支钢笔，我准备星期天去买。

★ 他准备送给爸爸什么礼物？

A 衬衫　　B 钢笔　　C 领带

70. 展览馆离这儿不远，在邮局的南面，书店的东面。坐公共汽车去大概 10 分钟就到了，骑自行车大概要 15 分钟。

★ 去展览馆大概多长时间？

A 坐公共汽车去 15 分钟

B 骑车去 10 分钟

C 骑车去 15 分钟

三、书 写

第一部分

第 71–75 题

例如：小船　上　一　河　条　有

河上有一条小船。

71. 玛丽　饺子　会　包　不

72. 他　不舒服　身体　有点儿

73. 的　号码　你　是　房间　多少

74. 突然　下　天　起　雨　了　来

75. 举行　比赛　在　这　次　夏天　2012 年

第二部分

第 76–80 题

例如：没（ 关 ）系，别难过，高兴点儿。
（guān）

76. 老师，请您再说一（ biàn ）。

77. 学校里边有（ yín ）行。

78. 我们明天早上 7 点（ bàn ）出发。

79. 妈妈给我写了一（ fēng ）信。

80. 汉语（ zuò ）业交给王老师了。

新汉语水平考试

HSK（三级）模拟试卷 *2*

注　意

一、HSK（三级）分三部分：

1. 听力（40 题，约 35 分钟）

2. 阅读（30 题，25 分钟）

3. 书写（10 题，15 分钟）

二、**答案先写在试卷上，最后 10 分钟再写在答题卡上。**

三、全部考试约 90 分钟（含考生填写个人信息时间 5 分钟）。

一、听 力

第一部分

第 1–5 题

A 

B 

C 

D 

E 

F 

例如：男：喂，请问张经理在吗？

女：他正在开会，您半个小时以后再打，好吗？ D

1. 

2. A

3. E

4. B

5. C

第 6–10 题

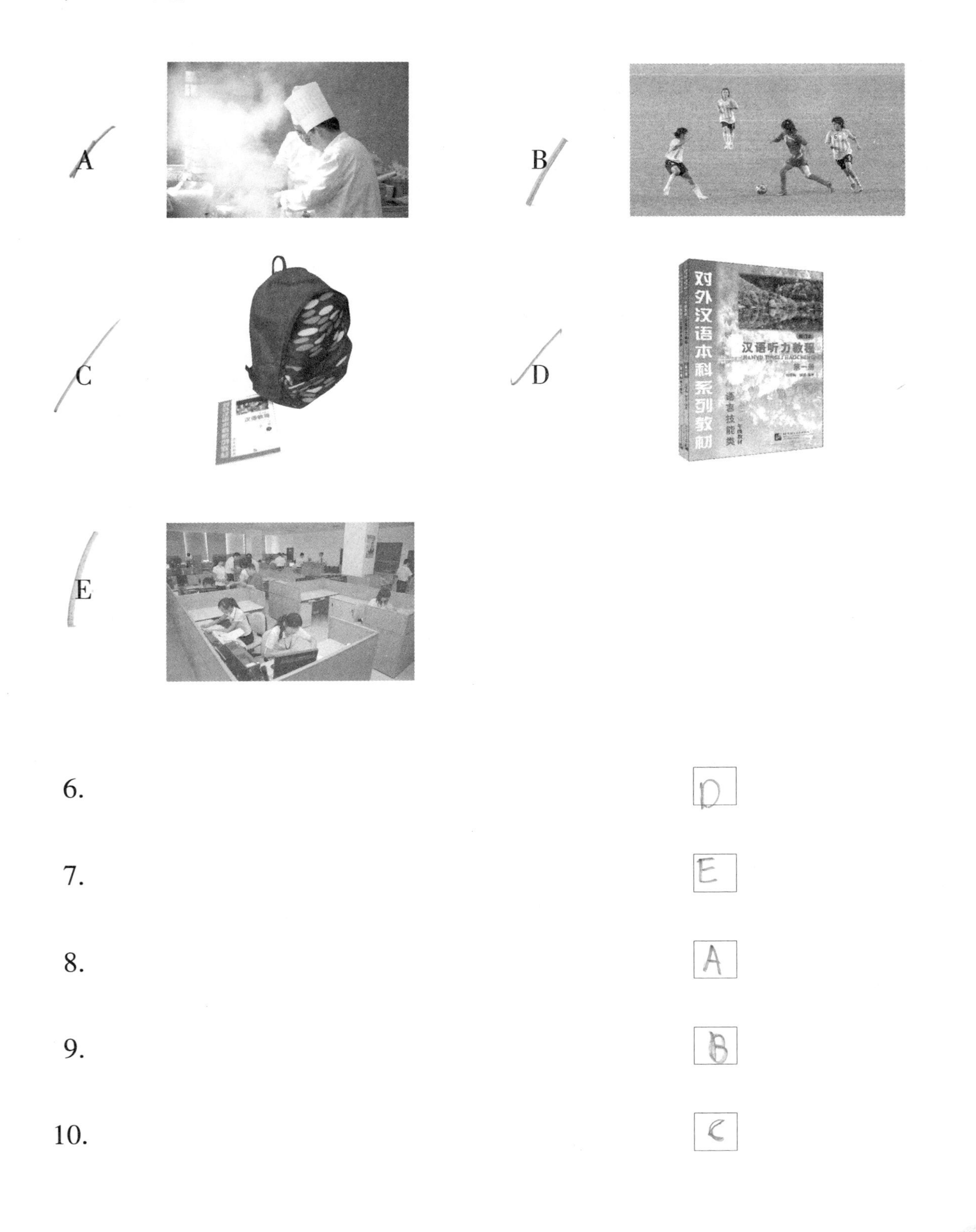

6.

7.

8.

9.

10.

第二部分

第 11-20 题

例如：为了让自己更健康，他每天都花一个小时去锻炼身体。

★ 他希望自己很健康。 （ √ ）

今天我想早点儿回家。看了看手表，才 5 点。过了一会儿再看表，还是 5 点，我这才发现我的手表不走了。

★ 那块手表不是他的。 （ × ）

11. ★ 他常常给家人打电话。 （ × ）

12. ★ “我”比姐姐高。 （ √ ）

13. ★ 他迷路了。 （ √ ）

14. ★ 麦克不想学习太极拳。 （ √ ）

15. ★ 他的钥匙丢了。 （ × ）

16. ★ 麦克不会开车。 （ √ ）

17. ★ 今天没有昨天暖和。 （ × ）

18. ★ 昨天他打车不顺利。 （ × ）

19. ★ 刚才窗户是关着的。 （ × ）

20. ★ 刚来中国时，“我”很想家。 （ √ ）

第三部分

第 21–30 题

例如：男：小王，帮我开一下门，好吗？谢谢！
女：没问题。您去超市了？买了这么多东西。
问：男的想让小王做什么？
A 开门 √　　B 拿东西　　C 去超市买东西

21. A 还没做呢　　B 快做好了　　C 已经做好了

22. A 红的　　B 白的　　C 蓝的

23. A 问路　　B 道歉　　C 打电话

24. A 忘了检查了　　B 没检查过　　C 检查过

25. A 银行　　B 邮局　　C 商店

26. A 想去　　B 不想去　　C 她没说

27. A 长城　　B 博物馆　　C 颐和园

28. A 她汉语水平很高　　B 她汉语水平不太高　　C 她不喜欢听广播

29. A 男朋友　　B 老师　　C 学生

30. A 7：25　　B 7：30　　C 7：40

第四部分

第 31-40 题

例如：女：晚饭做好了，准备吃饭了。
男：等一会儿，比赛还有三分钟就结束了。
女：快点儿吧，一起吃，菜凉了就不好吃了。
男：你先吃，我马上就看完了。
问：男的在做什么？
A 洗澡　　B 吃饭　　C 看电视 √

31.　A 男的个子很高　　B 男的个子不高　　C 男的水平很高

32.　A 南方　　B 北京　　C 天津

33.　A 500 元　　B 1100 元　　C 2100 元

34.　A 5 个人　　B 6 个人　　C 7 个人

35.　A 开会　　B 买药　　C 旅游

36.　A 老师和学生　　B 丈夫和妻子　　C 医生和病人

37.　A 一个　　B 两个　　C 三个

38.　A 笔　　B 书、光盘　　C 手机

39.　A 56 号　　B 57 号　　C 59 号

40.　A 买菜　　B 接孙子　　C 上班

二、阅 读

第一部分

第 41-45 题

A 你今年多大？属什么的？

B 对不起，一会儿王丽和我一起去看电影。

C 不行，我正在听课文录音呢，明天就要考试了。

D 当然。我们先坐公共汽车，然后换地铁。

E 这双鞋有点儿大。

F 你要 100 块的还是要 50 块的？

例如：你知道怎么去那儿吗？ （ D ）

41. 休息一会儿吧，听听音乐。 （ C ）

42. 服务员，有电话卡吗？给我来一张。 （ ）

43. 我去邮局寄包裹，顺便去书店买本书，我们一起去吧。 （ ）

44. 好的，请等一会儿，我给你拿一双小点儿的。 （ ）

45. 我 21 岁，属马的。 （ A ）

第 46–50 题

A 我有姐姐，还有哥哥。我们在家时常常在一起玩儿，所以我不感到寂寞。

B 这套房子的客厅大，再看看这套吧。

C 还没有呢，她还在学校上自习呢。

D 玛丽借给你的那本书你看完了没有？

E 在书房的桌子上。

46. 芳芳回家了没有？ （ ）

47. 我们家就我一个孩子，有时候感到很寂寞。 （ ）

48. 这套房子的厨房和卧室还可以，就是客厅面积小了点儿。 （ ）

49. 我帮麦克买的字典呢？ （ ）

50. 我还差一点儿就看完了，你要看吗？ （ ）

第二部分

第 51–55 题

A 东边　　B 声音　　C 杂志　　D 错　　E 想　　F 公斤

例如：她说话的（　B　）多好听啊！

51. 这个箱子里的东西很多，大概重 30（　　）。

52. 这个书包里面有几本中文（　　）和一本词典。

53. 往前走大概 100 米，在一所学校的（　　）有一个博物馆。

54. 对不起，我看（　　）时间了，所以来晚了。

55. 老师，我姐姐今天来中国，我（　　）请假去接她。

第 56–60 题

A 当　　B 打算　　C 睡觉　　D 派　　E 爱好　　F 大概

例如：A：你有什么（ E ）？
　　　B：我喜欢体育。

56. A：我每天晚上看看电视、听听音乐，11 点（　　）。
　　B：我晚上一般 10 点就休息了。

57. A：最近工作很难找，你找得怎么样了？
　　B：我在一家旅游公司给旅行团（　　）导游。

58. A：你来中国很久了吧？
　　B：公司（　　）我来中国工作三年，我就快回国了。

59. A：大学毕业以后你想做什么？
　　B：毕业以后我（　　）去国外教汉语。

60. A：从学校到那所医院（　　）就七八百米。
　　B：还行，不太远，那我们就走着去吧。

第三部分

第 61–70 题

例如：您是来参加今天会议的吗？您来早了一点儿，现在才 8 点半。您先进来坐吧。

★ 会议最可能几点开始？

A 8 点　　B 8 点半　　C 9 点　√

61. 我爸爸喜欢京剧，他 30 年前就对京剧特别感兴趣，那时候他才 15 岁。现在他每天都要看一会儿电视里的京剧节目。

★ 她爸爸今年有多大年纪？

A 30 多岁　　B 40 多岁　　C 50 多岁

62. 屋子虽然很大，但是光线不够，不能照相，我们去外边照吧。

★ 他们为什么去外边照相？

A 屋子太小　　B 屋子里面亮　　C 屋子外边亮

63. 中国人常说，早睡早起身体好。

★ 根据这句话，可以知道：

A 早上睡觉身体好

B 晚上早睡、早上早起身体好

C 早上起来身体好

64. 麦克汉语说得很流利，英语口语也很好，德语说得不太流利。

★ 麦克什么语言说得很流利？

A 汉语　　B 德语　　C 汉语和英语

65. 麦克，你吃完这一碗的话就吃了四碗了，别再吃了。

★ 麦克已经吃了几碗了？

A 一碗　　B 三碗　　C 四碗

66. 小刚的爱好比较多，喜欢游泳、跑步、打羽毛球。他每天早上都坚持跑步，周末游泳和打羽毛球。

★ 小刚周末都做什么运动？

A 游泳

B 跑步和打羽毛球

C 游泳、跑步和打羽毛球

67. 我妈妈长得很漂亮，妹妹长得像妈妈，但是不高。我既像妈妈也像爸爸，个子也很高。

★ 下面的哪句话说得对？

A 妹妹长得漂亮也很高

B 妹妹长得漂亮但不高

C “我”长得不像妈妈

68. 中国北方的冬天气温很低，但是屋子里有暖气，所以屋里比外边暖和得多；南方的冬天，虽然气温比北方高，但是屋子里没有暖气，所以屋里也不比外边暖和。

★ 中国北方的冬天：

A 屋里很冷　　B 屋子外边很冷　　C 屋里很热

69. 丽丽，银行在学校的东边，如果有同学要去，你带他们去。还有，注意，下午 5 点银行下班。

★ 根据这段话，可以知道：

A 丽丽是老师

B 丽丽表示同意

C 应该在下午 5 点之前去银行

70. 中文里的汉字和日文里的汉字不都一样，有的汉字发音、意思的区别就更大了，日本同学很容易读错、写错。

★ 中文里的汉字和日文里的汉字：

A 发音一样　　B 区别很小　　C 有很多区别

三、书 写

第一部分

第 71–75 题

例如：小船　　上　　一　　河　　条　　有

河上有一条小船。

71. 姐姐　　大使馆　　工作　　在

72. 同学　　非常　　们　　高兴　　都

73. 王医生　　西班牙语　　说　　会

74. 汉语　　她　　高　　比　　水平　　我

75. 北京　　的　　奥运会　　是　　举办　　2008 年

北京的2008年奥运会是举办

第二部分

第 76–80 题

例如：没（ 关 guān ）系，别难过，高兴点儿。

76. 这位是王老（ shī ）。

77. 玛丽在北京语言大学学（ xí ）汉语。

78. 我（ měi ）天骑自行车去公司。

79. 麦克汉语说得很好，以后想当翻（ yì ）。

80. 我明天和同学们去公园（ huá ）船。

新汉语水平考试

HSK（三级）模拟试卷 *3*

注　　意

一、HSK（三级）分三部分：

1. 听力（40题，约35分钟）
2. 阅读（30题，25分钟）
3. 书写（10题，15分钟）

二、**答案先写在试卷上，最后10分钟再写在答题卡上。**

三、全部考试约90分钟（含考生填写个人信息时间5分钟）。

一、听　力

第一部分

第 1–5 题

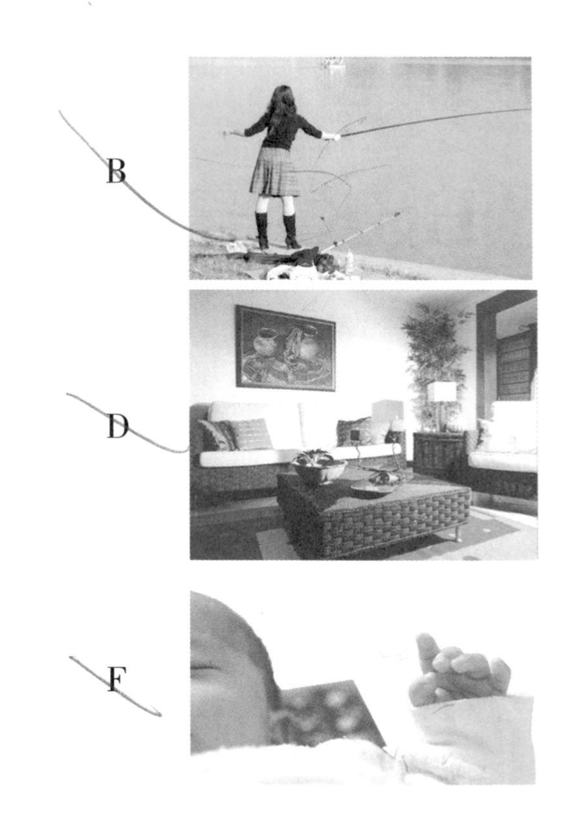

例如：男：喂，请问张经理在吗？

　　　女：他正在开会，您半个小时以后再打，好吗？　　C

1.

2.

3.

4.

5.

第 6-10 题

A

B

C

D

E

6. E

7. B

8. C

9. A

10. D

第二部分

第 11–20 题

例如：为了让自己更健康，他每天都花一个小时去锻炼身体。

★ 他希望自己很健康。 （ √ ）

今天我想早点儿回家。看了看手表，才 5 点。过了一会儿再看表，还是 5 点，我这才发现我的手表不走了。

★ 那块手表不是他的。 （ × ）

11. ★ 他没看过那部电视剧。 （ ）

12. ★ 王丽不会弹钢琴。 （ ）

13. ★ 他们是外国留学生。 （ ）

14. ★ 昨天老师表演节目了。 （ ）

15. ★ 小明现在很轻松。 （ ）

16. ★ 他不让张东把这件事告诉天宇。 （ ）

17. ★ 玛丽不喜欢吃水煮鱼。 （ ）

18. ★ 他身体不好。 （ ）

19. ★ 他的书丢了。 （ ）

20. ★ 他今天去火车站接妈妈。 （ ）

第三部分

第 21-30 题

例如：男：小王，帮我开一下门，好吗？谢谢！

女：没问题。您去超市了？买了这么多东西。

问：男的想让小王做什么？

A 开门 √　　B 拿东西　　C 去超市买东西

21. A 洗手　　B 吃饭　　C 看电视

22. A 回家找药　　B 去买药　　C 上医院

23. A 买书　　B 卖书　　C 借书

24. A 去看朋友　　B 去旅行　　C 去买东西

25. A 98 分　　B 99 分　　C 100 分

26. A 踢足球　　B 打篮球　　C 学书法

27. A 很好　　B 很累　　C 很忙

28. A 广州　　B 上海　　C 北京

29. A 回家吃饭　　B 等人　　C 参加聚会

30. A 不错　　B 刮大风　　C 一直下雨

第四部分

第 31–40 题

例如：女：晚饭做好了，准备吃饭了。
　　　男：等一会儿，比赛还有三分钟就结束了。
　　　女：快点儿吧，一起吃，菜凉了就不好吃了。
　　　男：你先吃，我马上就看完了。
　　　问：男的在做什么？

A 洗澡　　B 吃饭　　C 看电视 √

31. A 导游　　B 老师　　C 学生

32. A 玛丽　　B 麦克　　C 不认识

33. A 有病了，同学来看她　　B 陪同学去医院看病了　　C 到外地看同学去了

34. A 看电影　　B 看京剧　　C 看展览

35. A 等车　　B 吃饭　　C 看花展

36. A 玩具　　B 鲜花　　C 水果

37. A 游泳　　B 爬山　　C 打篮球

38. A 老师　　B 律师　　C 医生

39. A 不常做　　B 常做　　C 没说

40. A 汉语　　B 英语　　C 法语

二、阅 读

第一部分

第 41–45 题

A 下午你有事吗？我们一起去看电影吧。

B 当然。我们先坐公共汽车，然后换地铁。

C 你常去学校食堂吃早饭吗？

D 你帮我买几张邮票和一份《科学报》吧，我给你拿钱。

E 浅颜色的漂亮。……我试试可以吗？

F 在宿舍休息或者跟朋友一起出去玩儿。

例如：你知道怎么去那儿吗？ （ B ）

41. 很少去，我常在宿舍吃早饭。 （ C ）
42. 你周末一般怎么过？ （ F ）
43. 听说最近有很多好看的电影，我们看哪一部好呢？ （ A ）
44. 不用，先用我的钱买吧。 （ D ）
45. 你要浅颜色的还是深颜色的？ （ E ）

第 46–50 题

A 最近水果太贵了。

B 喂，是张东吗？

C 王芳，你家离学校远吗？

D 是吗？我正打算请她教我呢。

E 我的嗓子疼得厉害，还发烧。

46. 王老师的钢琴弹得很好，教过很多学生。 （ D ）

47. 可不是，一斤苹果都五块多了。 （ A ）

48. 张东不在，他看足球比赛去了。 （ B ）

49. 你先去化验一下血，然后我再给你检查检查。 （ E ）

50. 不太远，坐公共汽车大概 15 分钟就到了。 （ C ）

第二部分

第 51–55 题

A 坐　　B 电影　　C 滑冰　　D 声音　　E 集合　　F 举办

例如：她说话的（　D　）多好听啊！

51. 这儿离上海太远了，我们应该（　　）飞机去。

52. 听说有一个新（　　）很好看，我们一起去看，好吗？

53. 王老师告诉我们明天中午 12 点 10 分在楼前（　　）。

54. 我准备（　　）一个生日晚会。你一定要来参加呀！

55. 我的爱好很多，比如游泳、（　　）、画画儿和跳舞。

第 56-60 题

A 虽然　　B 还　　C 爱好　　D 上　　E 不一定　　F 懂

例如：A：你有什么（ C ）？
　　　B：我喜欢体育。

56. A：我觉得她这次唱得（　　）可以。
　　B：我也觉得她唱得比以前好点儿了。

57. A：这篇课文太难了，我没有看（　　）。
　　B：你先查查词典，这里面有很多生词。

58. A：他们（　　）只学了三个多月的汉语，但是已经说得很好了。
　　B：看来他们平时学习很努力。

59. A：王芳告诉你她什么时候能来？
　　B：她说今天上午（　　）来了。

60. A：老师，还有五分钟就下课了，让我们休息一下吧！
　　B：请大家安静，现在合（　　）书，准备听写生词。

第三部分

第 61–70 题

例如：您是来参加今天会议的吗？您来早了一点儿，现在才 8 点半。您先进来坐吧。

★ 会议最可能几点开始？

A 8 点　　B 8 点半　　C 9 点 √

61. 小李，快，小王的电话。

★ 谁接电话？

A 小李　　B 小王　　C 小李的朋友

62. 王芳，你不是不舒服吗？今天怎么又来上课了？

★ 昨天王芳上课了吗？

A 没上课　　B 上课了　　C 不知道

63. 小李，到了广州，先给小张打个电话，让她准备下个月的面试。

★ 谁要准备面试？

A 小李　　B 小张的朋友　　C 小张

64. 上个月我去云南了，回来后很累。但我下个月还是想去四川九寨沟，听说那里的风景美极了。

★ 他下个月想去哪儿？

A 云南　　B 四川　　C 北京

65. 北京是中国历史文化名城，有三千多年的悠久历史，作为历代都城大概有 800 年的历史。

★ 北京作为都城大概有多少年的历史？

A 800 年　　B 三千多年　　C 300 多年

66. 这条裤子颜色、肥瘦都很合适，要是再长一点儿就好了。

★ 这条裤子哪儿不合适？

A 颜色　　B 肥瘦　　C 长短

67. 还有两个星期就要过春节了，所以最近商场里的人特别多。

★ 现在大概是：

A 春节前两个星期　　B 春节　　C 春节后两个星期

68. 三年没见，她几乎一点儿变化都没有，还是那么年轻、漂亮。

★ 她以前怎么样？

A 不漂亮　　B 不年轻　　C 又年轻又漂亮

69. 小明这几天不在北京，听说他和妈妈去上海旅游了。今天是 5 号，他们大概两个星期以后才回来。

★ 小明大概什么时候回北京？

A 7 号　　B 18 号　　C 19 号以后

70. 他一年以前就学会开车了，半年前刚买了一辆新车，开得很好。

★ 他的车是什么时候买的？

A 一年前　　B 刚买的　　C 6 个月前

三、书 写

第一部分

第 71–75 题

例如：小船　上　一　河　条　有

河上有一条小船。

71. 快要　电影　了　开始　马上

72. 城市　你　哪个　住　在

73. 爷爷　太极拳　去　每天　打　公园

74. 爸爸　你　吗　身体　好

75. 小孩子　是　了　他们　已经　不

第二部分

第 76-80 题

例如：没（ guān 关 ）系，别难过，高兴点儿。

76. 新来的汉语老师说话很（ màn 慢 ）。

77. 同学们正在（ tīng 听 ）课文录音呢。

78. （ zuó 昨 ）天田芳给你打电话了。

79. 今天他（ bǐ 比 ）我来得早。

80. 那些问题我没全答对，（ cuò 错 ）了一道。

新汉语水平考试

HSK（三级）模拟试卷 4

注　意

一、HSK（三级）分三部分：

1. 听力（40题，约35分钟）

2. 阅读（30题，25分钟）

3. 书写（10题，15分钟）

二、**答案先写在试卷上，最后10分钟再写在答题卡上。**

三、全部考试约90分钟（含考生填写个人信息时间5分钟）。

一、听 力

第一部分

第 1–5 题

A

B

C

D

E

F

例如：男：喂，请问张经理在吗？

女：他正在开会，您半个小时以后再打，好吗？ E

1. A

2. F

3. B

4. D

5. C

第 6-10 题

6.

7.

8.

9.

10.

第二部分

第 11–20 题

例如：为了让自己更健康，他每天都花一个小时去锻炼身体。

★ 他希望自己很健康。 （ √ ）

今天我想早点儿回家。看了看手表，才 5 点。过了一会儿再看表，还是 5 点，我这才发现我的手表不走了。

★ 那块手表不是他的。 （ × ）

11. ★ 他还没写完作业。 （ √ ）

12. ★ 他对报刊考试成绩很满意。 （ × ）

13. ★ 她打错电话了。 （ √ ）

14. ★ 他昨天晚上没睡觉。 （ × ）

15. ★ 妈妈早上就做好饭了。 （ × ）

16. ★ 李华现在不在楼里。 （ √ ）

17. ★ 暑假他要回国。 （ × ）

18. ★ 王老师现在教他汉语。 （ × ）

19. ★ 玛丽病了。 （ √ ）

20. ★ 他回宿舍取照相机。 （ √ ）

第三部分

第 21–30 题

例如：男：小王，帮我开一下门，好吗？谢谢！
　　　女：没问题。您去超市了？买了这么多东西。
　　　问：男的想让小王做什么？

　　　A 开门 √　　B 拿东西　　C 去超市买东西

21.　A 7：35　　B 7：40　　C 7：50

22.　A 不好　　B 很贵　　C 很便宜

23.　A 结束了　　B 还没呢　　C 不知道

24.　A 好看　　B 不好看　　C 不知道怎么样

25.　A 分手了　　B 结婚了　　C 离婚了

26.　A 寄包裹　　B 辅导　　C 买邮票

27.　A 汽车站　　B 火车站　　C 机场

28.　A 一个　　B 两个　　C 12 个

29.　A 汉字课　　B 听力课　　C 口语课

30.　A 电话本上　　B 手机上　　C 纸上

第四部分

第 31-40 题

例如：女：晚饭做好了，准备吃饭了。
男：等一会儿，比赛还有三分钟就结束了。
女：快点儿吧，一起吃，菜凉了就不好吃了。
男：你先吃，我马上就看完了。
问：男的在做什么？

A 洗澡　　B 吃饭　　C 看电视 √

31. A 电影院　　B 网上　　C 他没说

32. A 中国老师　　B 同学　　C 朋友

33. A 结婚　　B 过春节　　C 开业

34. A 买家具　　B 买电器　　C 租房子

35. A 17：20　　B 18：20　　C 18：40

36. A 阅览室　　B 会议室　　C 语音室

37. A 天坛　　B 长城　　C 故宫

38. A 厨房里　　B 妈妈的手里　　C 小明的手里

39. A 菠萝　　B 芒果　　C 木菠萝

40. A 公司　　B 医院　　C 学校

二、阅 读

第一部分

第 41-45 题

A 咱们上午去还是下午去？

B 博物馆离这儿远吗？星期天咱们怎么去？

C 当然。我们先坐公共汽车，然后换地铁。

D 一件 800 块。这件白色的很好看，你试一试吧。

E 不是，明天一个外贸代表团去北京参观，我去给他们当翻译。

F 下个月有个唱汉语歌比赛，有很多留学生参加呢。

例如：你知道怎么去那儿吗？ （ C ）

41. 明天你是去北京旅行吗？ （ E ）

42. 真的？咱们俩也去报名吧！ （ F ）

43. 我上午要去书店买一本书，下午去好吗？ （ A ）

44. 不太远，骑车去吧。 （ D ）

45. 这种羽绒服怎么卖？ （ B ）

第 46–50 题

A 同学们，明天先去爬山，再去游泳。
B 还没有呢。
C 田中业余时间都做什么？
D 劳驾，我打听一下，和平公园在哪儿？
E 你的气功练得这么好，练了多长时间了？

46. 我已经练了好几年了。 （ E ）
47. 和平公园在南边，在博物馆和中山广场中间。 （ D ）
48. 太好了！老师，您也去吗？ （ A ）
49. 电视剧演完了没有？ （ B ）
50. 他现在正跟一个中国老师学书法，还学画中国画。 （ C ）

第二部分

第 51–55 题

A 有时候　　B 声音　　C 用　　D 杯　　E 安静　　F 照相

例如：她说话的（　B　）多好听啊！

51. 服务员，请给我拿一（ D ）咖啡。

52. 我（ C ）电子邮件给爸爸妈妈写信。

53. 我们教室又（ E ）又干净。

54. 我周末有时候在家休息，（ A ）去朋友家玩儿或者去电影院看电影。

55. 这里的春天很美，公园里有很多漂亮的花儿，我们这个星期天一起去（ F ）吧。

第 56-60 题

A 爱好　　B 节约　　C 对　　D 必须　　E 做　　F 跟

例如：A：你有什么（ A ）？

B：我喜欢体育。

56. A：你看牌子上写的是什么？

B：上面写的是“请（　　）用水”，意思是不要浪费水。

57. A：明天我（　　）朋友一起去商店买东西，你去吗？

B：我明天有事，帮我买一把雨伞可以吗？

58. A：老师，这个词我读错了吗？

B：没有读错，你读得（　　）。

59. A：今天的作业你（　　）了两个小时？

B：是的，我现在觉得有点儿累了。

60. A：学习汉语（　　）坚持。

B：田芳学习就很努力，每天早早地起来练习听力和口语。

第三部分

第 61–70 题

例如：您是来参加今天会议的吗？您来早了一点儿，现在才 8 点半。您先进来坐吧。

★ 会议最可能几点开始？

A 8 点　　B 8 点半　　C 9 点 √

61. 从北京到上海，坐火车大概要 14 个小时，明天上午 9 点就到了。

★ 他们的火车是几点的？

A 18 点　　B 19 点　　C 20 点

62. 他出国工作了一年，回来后瘦了许多。

★ 下面哪句话是对的？

A 他现在瘦了　　B 他一直很瘦　　C 他出国以前很胖

63. 麦克去年总是丢东西，虽然他每次都说下次注意，但这样的事情今年还在继续发生。

★ 麦克今年还丢东西吗？

A 不丢了　　B 继续丢　　C 不知道

64. 我刚买了一辆 20 万的新车，牌子跟原来那辆不一样，颜色一样，是黑色的，价钱比原来那辆贵两万多。

★ 他原来的车大概多少钱？

A 22 万　　B 18 万　　C 20 万

65. 我不会打太极拳，很想学。田芳以前学过，但是她还想再学一学。听说体育老师下星期教太极拳，真是太好了！

★ 谁会打太极拳？

A 我和田芳　　B 田芳　　C 都不会

66. 星期天，我一个人去森林公园玩儿，要回家的时候已经很晚了，我迷路了，不知道公共汽车站在哪儿。

★ 他打算：

A 走回家　　B 骑车回家　　C 坐公共汽车回家

67. 学校西边有书店，东边有公园和邮局，还有一个新开的超市。

★ 学校在超市的：

A 西边　　B 东边　　C 南边

68. 我 12 号从北京出发，先去广州，五天后再从广州去香港。

★ 他 16 号时可能在哪儿？

A 北京　　B 广州　　C 香港

69. 中国大部分年青人都不太喜欢看京剧。我这个“老外”这么喜欢看京剧，老师当然感到很惊讶。

★ 老师知道他喜欢看京剧，觉得：

A 很高兴　　B 很生气　　C 很吃惊

70. 康斯泰正跟一个老师学习书法。他来中国以前就对书法感兴趣，现在觉得虽然比较难，但是很有意思。

★ 根据这段话，可以知道：

A 学习书法不难

B 学习书法比较容易

C 康斯泰对书法感兴趣

三、书 写

第一部分

第 71–75 题

例如：小船　上　一　河　条　有

　　河上有一条小船。

71. 我　换钱　要　银行　去

72. 我　有　附近　一　家　河　条

73. 大卫　说　汉语　非常　得　流利

74. 留学生　正在　联欢会　开　呢

75. 麦克　到　12 点　学习　睡觉　才

第二部分

第 76–80 题

例如：没（ guān 关 ）系，别难过，高兴点儿。

76. 认识你很高（ xìng 兴 ）。

77. 你的电话号码是（ duō 多 ）少？

78. 暑假你想去哪里（ lǚ 旅 ）行？

79. 汉（ zì 字 ）对我来说不容易，但是我很爱学。

80. 我喜欢喝（ chá 茶 ），不习惯喝咖啡。

新汉语水平考试

HSK（三级）模拟试卷 5

注　意

一、HSK（三级）分三部分：

1. 听力（40题，约35分钟）

2. 阅读（30题，25分钟）

3. 书写（10题，15分钟）

二、**答案先写在试卷上，最后10分钟再写在答题卡上。**

三、全部考试约90分钟（含考生填写个人信息时间5分钟）。

一、听 力

第一部分

第 1–5 题

A 

B 

C 

D 

E 

F 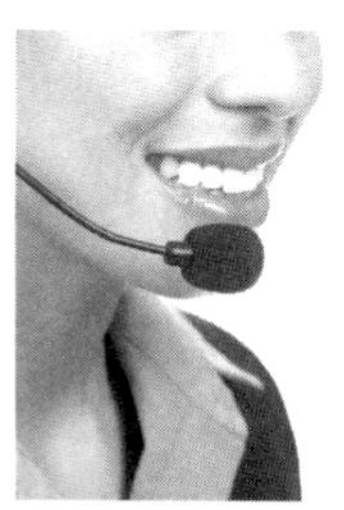

例如：男：喂，请问张经理在吗？

女：他正在开会，您半个小时以后再打，好吗？ F

1. ☐

2. ☐

3. ☐

4. ☐

5. ☐

第 6－10 题

A

B

C

D

E

6.

7.

8.

9.

10.

第二部分

第 11-20 题

例如：为了让自己更健康，他每天都花一个小时去锻炼身体。

★ 他希望自己很健康。 （ √ ）

今天我想早点儿回家。看了看手表，才 5 点。过了一会儿再看表，还是 5 点，我这才发现我的手表不走了。

★ 那块手表不是他的。 （ × ）

11. ★ 田中学习汉语很努力。 （ ）

12. ★ 他爸爸是老师。 （ ）

13. ★ 玛丽没告诉他是什么节目。 （ ）

14. ★ 这两个大学生刚来公司工作。 （ ）

15. ★ 李云不常去他家。 （ ）

16. ★ 他昨天下午去体育馆打篮球了。 （ ）

17. ★ 这些学生都是中国人。 （ ）

18. ★ 妈妈和爸爸要一起去香港旅行。 （ ）

19. ★ 明天她和男朋友一起去看球赛。 （ ）

20. ★ 现在大概 5 点多。 （ ）

第三部分

第 21–30 题

例如：男：小王，帮我开一下门，好吗？谢谢！
女：没问题。您去超市了？买了这么多东西。
问：男的想让小王做什么？

A 开门 √　　B 拿东西　　C 去超市买东西

21. A 屋里　B 屋外　C 楼下

22. A 打太极拳　B 划船　C 放风筝

23. A 12　B 18　C 19

24. A 学生　B 老师　C 大夫

25. A 好吃但很贵　B 不贵但不太好吃　C 又好吃又便宜

26. A 出差了　B 住院了　C 没上班

27. A 过马路　B 下车　C 上车

28. A 买衣服　B 买鞋　C 找人

29. A 看报纸　B 看电视　C 看书

30. A 要结婚了　B 要毕业了　C 要出国了

第四部分

第 31–40 题

例如：女：晚饭做好了，准备吃饭了。
男：等一会儿，比赛还有三分钟就结束了。
女：快点儿吧，一起吃，菜凉了就不好吃了。
男：你先吃，我马上就看完了。
问：男的在做什么？

A 洗澡　　B 吃饭　　C 看电视　√

31. A 旅行　　B 留学　　C 工作

32. A 妈妈家　　B 自己家　　C 外边

33. A 学校　　B 超市　　C 银行

34. A 单人房　　B 双人房　　C 四人房

35. A 16 块　　B 26 块　　C 50 块

36. A 刀叉　　B 勺子　　C 筷子

37. A 在中国学习汉语　　B 回国学习汉语　　C 在公司当翻译

38. A 游泳　　B 买衣服　　C 上班

39. A 47：40　　B 41：14　　C 41：40

40. A 宾馆　　B 火车站　　C 机场

二、阅 读

第一部分

第 41–45 题

A 已经写了一个晚上了，你累了吧？

B 是的，感觉有点儿冷。

C 我常常 10 点睡觉，但是最近要考试了，所以晚一点儿。

D 我最喜欢打篮球，也很喜欢游泳。

E 这里的咖啡好喝吗？

F 当然。我们先坐公共汽车，然后换地铁。

例如：你知道怎么去那儿吗？　　（ F ）

41. 你都喜欢什么运动？　　（　　）

42. 我觉得你这几天没精神，你每天几点睡觉？　　（　　）

43. 我先休息一会儿。帮我拿一杯果汁好吗？　　（　　）

44. 今天风很大，气温也很低。　　（　　）

45. 太甜了，我喜欢苦一点儿的。　　（　　）

第 46–50 题

A 你别总在屋子里学习，应该出去走走。

B 我常常和哥哥一起打。

C 我记得那个饭店就在附近，怎么找不到了呢？

D 我来了一个多月了，对这儿的生活还不太习惯。

E 现在是 6 月份，6 月的天气总是变得很快。

46. 别着急，我们再找一找。 （ ）

47. 田芳，你来了多长时间了？ （ ）

48. 怎么突然下雨了？广播里说今天是晴天。 （ ）

49. 你的羽毛球打得真好。 （ ）

50. 是啊，春天到了，我要和朋友一起去公园玩儿玩儿！ （ ）

第二部分

第 51-55 题

A 座　　B 体育　　C 新　　D 介绍　　E 声音　　F 该

例如：她说话的（ E ）多好听啊！

51. 我来（　　）一下，这位是李老师。

52. 公园里有一条河，上边有（　　）白色的石桥。

53. 这是他（　　）买的电脑。

54. 弟弟从小就喜欢运动，现在他是一位（　　）老师。

55. 小丽，快点儿！（　　）我们班拍照了。

第 56-60 题

A 要　　B 影响　　C 愉快　　D 爱好　　E 完　　F 被

例如：A：你有什么（ D ）？

B：我喜欢体育。

56. A：很晚了，孩子们还在唱歌。

B：我让他们不要再唱了，不能（　　）别人休息啊。

57. A：玛丽，你男朋友没来？

B：没来，他下午（　　）参加考试。

58. A：盘子里的苹果都哪儿去了？

B：刚刚（　　）我吃光了，我饿了。

59. A：留学生们在一起学习和生活得很（　　）。

B：他们已经在这儿三年了，感情很深。

60. A：你能和我们一起出去玩儿吗？

B：等我一会儿，我的作业马上就做（　　）了。

第三部分

第 61–70 题

例如：您是来参加今天会议的吗？您来早了一点儿，现在才 8 点半。您先进来坐吧。

★ 会议最可能几点开始？

A 8 点　　B 8 点半　　C 9 点 √

61. 我们喝茶应该在上午或下午，晚上喝茶对睡眠会有影响，饭后也不要马上喝茶。

★ 什么时候喝茶比较好？

A 刚吃完早饭　　B 午饭后两个小时　　C 晚上睡觉前

62. 世界上许多国家的人都喜欢散步，因为散步不但能锻炼身体，还不需要花钱。

★ 散步：

A 让人生气　　B 对身体好　　C 得花钱

63. 田芳对中国的历史和文化感兴趣，我只对汉语感兴趣。

★ 他对什么感兴趣？

A 汉语　　B 中国历史　　C 中国文化

64. 北京的春天一般在 4 月和 5 月，很短，风很大。夏天时间也不长，但是温度比较高。秋天是北京最美的季节，人们都喜欢在这个时候去爬长城或者去爬香山。

★ 哪个季节去北京旅游最好？

A 春天　　B 夏天　　C 秋天

65. 最近几年，许多年青人离开家乡到其他城市工作，虽然工资比从前高，但是很辛苦。

★ 年青人到其他城市工作：

A 很舒服　　B 不太累　　C 工资比较高

66. 中国现在的经济发展很快，城市变漂亮了，农村的变化也很大，农民的生活水平提高得很快。

★ 中国现在：

A 农村很漂亮　　B 人们生活水平提高了　　C 城市变大了

67. 除了少数同学以外，他们班大部分同学的成绩都很好，成绩在 80 分以上的有 15 人，是 60 分以下学生的 3 倍。

★ 成绩在 60 分以下的学生有：

A 3 人　　B 45 人　　C 5 人

68. 芳芳今年 27 岁了，她想明年去国外工作。她爸爸同意了，但是妈妈不同意。芳芳的妈妈希望她早点儿结婚。

★ 妈妈不希望芳芳：

A 找工作　　B 早点儿结婚　　C 结婚太晚

69. 在“朋友”和“友谊”中，“友”的读音不同。

★ 在“朋友”这个词中，“友”的声调是：

A 第三声　　B 轻声　　C 第二声

70. 我不是不喜欢运动，平时工作忙，连周末都加班，没时间去锻炼。

★ 从这句话我们知道他：

A 不喜欢运动　　B 喜欢运动　　C 周末去运动

三、书 写

第 71–75 题

例如：小船　　上　　一　　河　　条　　有

河上有一条小船。

71. 你　　回国　　没　　怎么　　去年

72. 她　　牛奶　　一　　喝　　了　　杯

73. 玛丽　　代表团　　翻译　　的　　是

74. 喜欢　　同学们　　汉语　　用　　聊天儿

75. 让　　学生　　去　　书　　老师　　图书馆　　借

第 76–80 题

例如：没（ guān 关 ）系，别难过，高兴点儿。

76. 今天是我 20（ suì ）生日。

77. 山田想学习中国（ jīng ）剧。

78. 下课后我常常去操场打（ pái ）球。

79. 王老师在哪个教（ shì ）上课？

80. 他正在和朋友（ liáo ）天儿呢。

新汉语水平考试

HSK（三级）模拟试卷 *6*

注　意

一、HSK（三级）分三部分：

1. 听力（40题，约35分钟）

2. 阅读（30题，25分钟）

3. 书写（10题，15分钟）

二、答案先写在试卷上，最后10分钟再写在答题卡上。

三、全部考试约90分钟（含考生填写个人信息时间5分钟）。

一、听 力

第一部分

第 1-5 题

A 

B 

C 

D 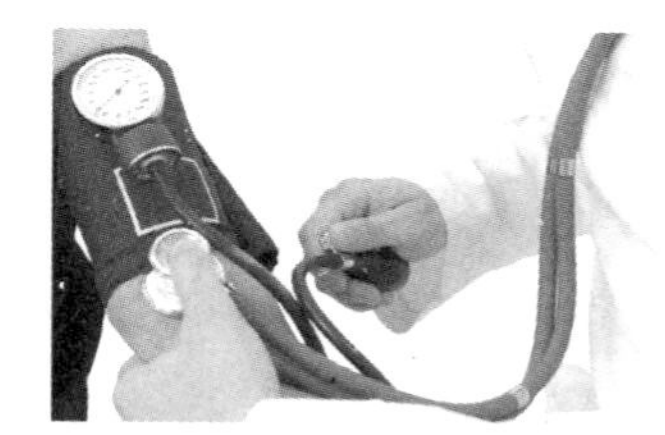

E 

F 

例如：男：喂，请问张经理在吗？

女：他正在开会，您半个小时以后再打，好吗？ [C]

1. [ ]

2. [ ]

3. [ ]

4. [ ]

5. [ ]

第 6–10 题

A

B

C

D

E

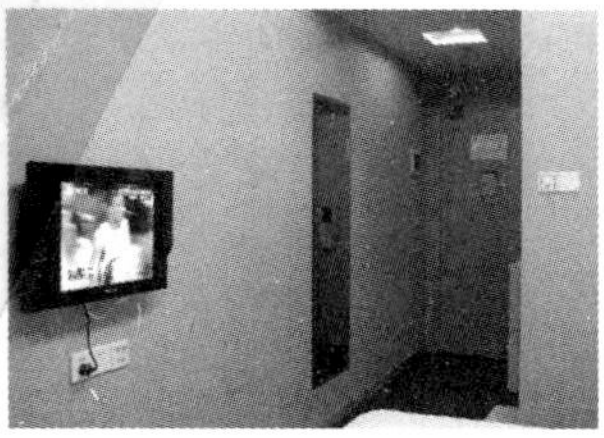

6. ☐

7. ☐

8. ☐

9. ☐

10. ☐

第二部分

第 11-20 题

例如：为了让自己更健康，他每天都花一个小时去锻炼身体。

★ 他希望自己很健康。 （ √ ）

今天我想早点儿回家。看了看手表，才 5 点。过了一会儿再看表，还是 5 点，我这才发现我的手表不走了。

★ 那块手表不是他的。 （ × ）

11. ★ 天气预报真准。 （ ）

12. ★ 小王迟到是因为起床晚了。 （ ）

13. ★ 昨天他的书包丢了。 （ ）

14. ★ 他觉得中国人很友好。 （ ）

15. ★ 周末他可以吃到饺子。 （ ）

16. ★ “我”去过布拉格，“我”觉得布拉格是个美丽的城市。 （ ）

17. ★ “我”只有一个爱好，是打乒乓球。 （ ）

18. ★ 小朋友们在公园里玩儿得很开心。 （ ）

19. ★ 田芳和玛丽住在一个宿舍。 （ ）

20. ★ 宋秘书明天去机场接王经理。 （ ）

第三部分

第 21–30 题

例如：男：小王，帮我开一下门，好吗？谢谢！
女：没问题。您去超市了？买了这么多东西。
问：男的想让小王做什么？

A 开门 √　　B 拿东西　　C 去超市买东西

21. A 借书　　B 换书　　C 还书

22. A 结婚了　　B 没结婚　　C 不知道

23. A 银行　　B 展览馆　　C 图书馆

24. A 啤酒　　B 白酒　　C 红酒

25. A 划船　　B 看电影　　C 打网球

26. A 去车站了　　B 加班了　　C 去咖啡厅了

27. A 苹果　　B 橘子　　C 香蕉

28. A 书店　　B 银行　　C 教室

29. A 苦瓜　　B 西红柿　　C 土豆

30. A 桌子上　　B 书架上　　C 椅子上

第四部分

第31–40题

例如：女：晚饭做好了，准备吃饭了。
男：等一会儿，比赛还有三分钟就结束了。
女：快点儿吧，一起吃，菜凉了就不好吃了。
男：你先吃，我马上就看完了。
问：男的在做什么？

A 洗澡　　B 吃饭　　C 看电视　√

31. A 长城　　B 长城饭店　　C 红楼

32. A 公共汽车上　　B 出租汽车上　　C 地铁上

33. A 半年　　B 一年半　　C 两年

34. A 6：30　　B 7：00　　C 7：30

35. A 牙医那里　　B 电视上　　C 柜子上

36. A 第一次　　B 第二次　　C 第三次

37. A 预习　　B 做作业　　C 玩儿电脑

38. A 女的　　B 男的　　C 都不去

39. A 刚起床　　B 生气了　　C 睡得晚

40. A 在　　B 不在　　C 不知道

二、阅 读

第一部分

第 41–45 题

A 咱们怎么去呢？

B 好的，在我的房间，你自己开机吧。

C 你去邮局的时候顺便帮我寄一封信吧。

D 你去不去看电影？快点儿说呀！

E 是呀，商店里衣服的价格比去年贵了许多。

F 当然，我们先坐公共汽车，然后换地铁。

例如：你知道怎么去那儿吗？ （ F ）

41. 今天的作业特别多，你自己去好不好？ （　　）
42. 好，明信片要不要？ （　　）
43. 电脑给我用一下好吗？我想查一点儿资料。 （　　）
44. 天气有点儿冷，我们坐出租车去吧。 （　　）
45. 星期天去商店，看到很多漂亮的衣服，不过很贵。 （　　）

第 46–50 题

A 看了三套，都不太满意，有的房子太小，有的周围环境太乱。

B 这个舞你能不能再跳一遍？我没学会。

C 我今天晚上去听音乐会，你呢？

D 明天就去吗？那你给我介绍一下外贸代表团的情况吧。

E 我都学了半年汉语了，口语水平还是没有多大提高。

46. 我想预习预习课文，然后看看电视，11 点睡觉。（ ）

47. 他通知我们明天去北京开会，你给他们做一下翻译吧。（ ）

48. 好，咱们先休息休息，一会儿再教你。（ ）

49. 明天我们再去别的地方看看吧。（ ）

50. 我给你介绍几位中国朋友，你们经常聊聊天儿吧，这样会对你有帮助。（ ）

第二部分

第 51–55 题

A 精彩　　B 唱　　C 声音　　D 批评　　E 遍　　F 糟糕

例如：她说话的（　C　）多好听啊！

51. 这部电影特别好看，我在电脑上看了三（　　）呢。

52. 麦克前一段时间没努力学习，所以这次考试成绩很（　　）。

53. 留学生表演的节目太（　　）了，师生们都说好极了。

54. 玛丽喜欢看京剧，也喜欢（　　）京剧。

55. 小刚作业写得不好，老师（　　）了他一顿。

第 56-60 题

A 一直　　B 结束　　C 就　　D 把　　E 爱好　　F 搬

例如：A：你有什么（ E ）？
　　　B：我喜欢体育。

56. A：玛丽，先（　　）作业做完再出去玩儿吧。
　　B：我太累了，想先休息一下。

57. A：请问人民医院怎么走？
　　B：你（　　）向前走，看到红绿灯以后向右拐就能看到了。

58. A：你怎么回来得这么快？
　　B：银行今天人很少，我很快（　　）办完了。

59. A：您能帮我（　　）一下吗？这东西太重了。谢谢！
　　B：没问题，我帮你！

60. A：这场足球比赛真是太好看了！开始的时候，二班的分数高。
　　B：是啊，在比赛要（　　）时，麦克又踢进一个球，三班赢了！

第三部分

第 61–70 题

例如：您是来参加今天会议的吗？您来早了一点儿，现在才 8 点半。您先进来坐吧。

★ 会议最可能几点开始？

A 8 点　　B 8 点半　　C 9 点 √

61. 因为城市里的汽车太多，所以空气不太好。

★ 根据这句话，可以知道城市里：

A 汽车很少　　B 空气很好　　C 空气不太好

62. 姥姥每天练气功。她以前有高血压，还经常失眠，坚持练了几年，现在她的这些病差不多都好了。

★ 现在姥姥：

A 比以前健康多了　　B 身体不如从前了　　C 不生病了

63. 要想弹出好听的歌，就需要天天练习，三天打鱼、两天晒网可不行！

★ 根据这句话，可以知道这里“三天打鱼、两天晒网”说的是：

A 打三天鱼，晒两天网　　B 不坚持练习　　C 坚持练习

64. 北京虽然很大，但是交通很方便，坐地铁线路多，也很便宜，每次只需要两元钱。

★ 在北京，坐一次地铁需要：

A 两角钱　　B 两块钱　　C 两分钱

65. 这个房间的面积比较大，但是下午就见不到阳光了。

★ 这个房间：

A 没有阳光　　B 面积很小　　C 面积比较大

66. 田芳刚来中国半年，她的汉语说得就很流利，我们都觉得她很厉害。

★ 田芳：

A 容易生气　　B 口语不错　　C 刚来中国 5 个月

67. 大夫看了化验结果，说我只是消化不好，不是肠炎，先给我打了一针，接着又给我开了些药。

★ “我”怎么了？

A 消化不好　　B 得肠炎了　　C 住院了

68. 王明虽然不是中文专业的，但是他的小说写得特别好，许多人都喜欢买来看。

★ 根据这句话，可以知道王明：

A 喜欢看小说　　B 是学中文的　　C 小说写得好

69. 玛丽喜欢文艺，除了唱歌和跳舞以外，她还喜欢画画儿和书法。

★ 玛丽喜欢：

A 唱歌和跳舞　　B 画画儿和书法　　C 唱歌、跳舞、画画儿和书法

70. 近年来，来华留学生越来越多，今年在北京学习的留学生就有 5 万多人次，是前年的两倍。

★ 前年北京的留学生人数大概为：

A 3 万　　B 两万五千　　C 6 万

三、书 写

第一部分

第 71–75 题

例如：小船　上　一　河　条　有

河上有一条小船。

71. 哪　人　是　国　你

72. 打算　我　旅游　以后　去　再

73. 电话　他　了　来　又

74. 我　上课　在　王老师　教室　呢　看见

75. 山田　感　对　武术　很　兴趣

第二部分

第 76-80 题

例如：没（ 关 guān ）系，别难过，高兴点儿。

76. 从图书馆（ jiè ）来的书该还了。

77. 我下午去书店（ mǎi ）汉语词典。

78. 麦克七点一（ kè ）就来了。

79. 博物馆（ lí ）这儿远吗？

80. 妹妹大学毕业后去英国（ liú ）学了。

新汉语水平考试

HSK（三级）模拟试卷 7

注　意

一、HSK（三级）分三部分：

1. 听力（40 题，约 35 分钟）
2. 阅读（30 题，25 分钟）
3. 书写（10 题，15 分钟）

二、**答案先写在试卷上，最后 10 分钟再写在答题卡上。**

三、全部考试约 90 分钟（含考生填写个人信息时间 5 分钟）。

一、听 力

第一部分

第 1–5 题

A 

B 

C

D 

E 

F 

例如：男：喂，请问张经理在吗？

女：他正在开会，您半个小时以后再打，好吗？ D

1. 

2. 

3. A

4. F

5. C

第 6–10 题

A

B

C

D

E

6.

7.

8.

9.

10.

第二部分

第 11–20 题

例如：为了让自己更健康，他每天都花一个小时去锻炼身体。

★ 他希望自己很健康。 （ √ ）

今天我想早点儿回家。看了看手表，才 5 点。过了一会儿再看表，还是 5 点，我这才发现我的手表不走了。

★ 那块手表不是他的。 （ × ）

11. ★ 他不常玩儿电脑游戏。 （ √ ）

12. ★ 学生们很喜欢王老师和林老师。 （ √ ）

13. ★ 他不会写汉字。 （ × ）

14. ★ 生日这天他非常高兴。 （ √ ）

15. ★ 他买的这件衣服花了 280 块。 （ √ ）

16. ★ 他每周二、四下午有辅导。 （ √ ）

17. ★ 他是个电影迷。 （ × ）

18. ★ 他刚来中国的时候没有遇到过困难。 （ × ）

19. ★ 他做作业做了两个小时。 （ √ ）

20. ★ 爸爸学习汉语是为了在中国旅行。 （ × ）

第三部分

第 21–30 题

例如：男：小王，帮我开一下门，好吗？谢谢！
女：没问题。 您去超市了？买了这么多东西。
问：男的想让小王做什么？
A 开门 √　　B 拿东西　　C 去超市买东西

21.　A 公园　　B 动物园　　C 植物园

22.　A 邮局　　B 银行　　C 药店

23.　A 工作　　B 道歉　　C 打电话

24.　A 4：30　　B 5：00　　C 5：30

25.　A 新年　　B 春节　　C 国庆节

26.　A 床　　B 饭桌　　C 沙发

27.　A 想加班　　B 不想照顾孩子　　C 不想看见爱人

28.　A 楼上　　B 车里　　C 楼下

29.　A 医生　　B 护士　　C 老师

30.　A 环境不好　　B 买东西方便　　C 离公司近

第四部分

第31–40题

例如：女：晚饭做好了，准备吃饭了。
男：等一会儿，比赛还有三分钟就结束了。
女：快点儿吧，一起吃，菜凉了就不好吃了。
男：你先吃，我马上就看完了。
问：男的在做什么？

A 洗澡　　B 吃饭　　C 看电视 √

31. A 医院　　B 电影院　　C 工厂

32. A 一年多　　B 两年多　　C 三年多

33. A 开会　　B 打电话　　C 聊天儿

34. A 帽子　　B 大衣　　C 鞋

35. A 已经工作了　　B 在找工作　　C 在大学学习

36. A 爸爸和女儿　　B 妈妈和儿子　　C 丈夫和妻子

37. A 公园　　B 酒吧　　C 商店

38. A 女士的姐姐　　B 女士的妹妹　　C 女士的哥哥

39. A 喜欢吃水果　　B 给客人吃　　C 水果对身体好

40. A 苏州园林　　B 西湖　　C 黄山

二、阅 读

第一部分

第 41–45 题

A 昨天的那个晚会演员演得好极了。

B 当然。我们先坐公共汽车，然后换地铁。

C 听说很好，我们一起去看看吧。

D 顺便帮我把这封信寄出去，好吗？谢谢。

E 今天的航班是 12 点半的，你别晚了。

F 喝太多饮料对身体不太好，我不常喝。

例如：你知道怎么去那儿吗？（ B ）

41. 那个书画展览下周举行。（　）

42. 这个周末我要去邮局寄包裹。（　）

43. 你喜欢喝可乐吗？（　）

44. 我不喜欢看晚会。篮球比赛多有意思啊！（　）

45. 知道了，我正收拾行李呢。（　）

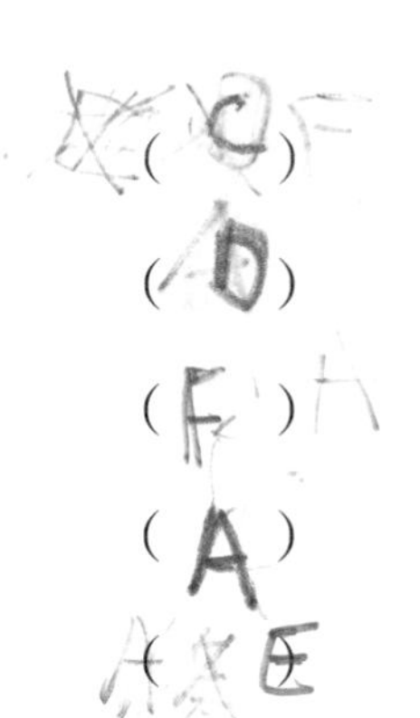

第 46–50 题

A 没有啊。糟糕，我忘开机了。

B 你已经说得很好了，对自己要有信心！

C 爷爷，您乒乓球打得真好啊！

D 师傅，我的自行车坏了，您帮我修修。能快点儿吗？

E 你们喜欢听？我真高兴！

46. 你故事讲得真有意思，我们都爱听。（  ）

47. 老师，我的发音还不太好，让麦克去比赛吧。（  ）

48. 张东给你打电话了没有？（  ）

49. 哪里，现在年纪大了，打一会儿就累了。（  ）

50. 好，别着急，我这就给你看看。（  ）

第二部分

第 51-55 题

A 旁边　　B 声音　　C 参观　　D 滑冰　　E 准时　　F 回信

例如：她说话的（ B ）多好听啊！

51. 我上次出差在北京时间太短，只（ C ）了故宫。

52. 我的爱好很多，比如游泳、（ D ）、画画儿和跳舞什么的。

53. 哥哥，玛丽给我（ F ）了，她说下个月就来看我们。

54. 后天上午 9 点 50 在楼前集合，10 点（ E ）出发。

55. 体育馆在图书馆的（ A ），是一座灰色的大楼。

第 56–60 题

A 旅行　　B 离　　C 习惯　　D 爱好　　E 才　　F 态度

例如：A：你有什么（ D ）？

　　　B：我喜欢体育。

56. A：北方图书城（ B ）这儿有多远？

　　B：坐公共汽车大概 15 分钟就到了。

57. A：今年寒假打算去哪儿（ A ）？

　　B：飞机票都订好了，去云南看玉龙雪山。

58. A：我都等你半个小时了，你怎么（ E ）来？

　　B：对不起，出来的时候忘带钱包了，又回去取，结果晚了。

59. A：来中国一个多月了，感觉怎么样？

　　B：挺好的，不过还是不（ C ）早睡早起。

60. A：我不想去银行旁边的那家饭店，那儿的服务员（ F ）不太好。

　　B：那我们去学校旁边的那家饭店吧，那里的服务员很和气。

第三部分

第 61–70 题

例如：您是来参加今天会议的吗？您来早了一点儿，现在才 8 点半。您先进来坐吧。

★ 会议最可能几点开始？

A 8 点　　B 8 点半　　C 9 点　√

61. 因为这张风景画比较大，所以挂在卧室或书房里不太合适，还是挂在客厅里吧。

★ 这张风景画应该挂在什么地方？

A 客厅　　B 卧室　　C 书房

62. 电影 8 点就开始了，我们晚了 20 多分钟，才看了一个小时就结束了，真可惜！

★ 这部电影大概多长时间？

A 一个小时　　B 20 分钟　　C 一个半小时

63. 校长，明天上午 9 点半英国代表团来我们大学，中午 12 点半跟他们一起吃饭，下午两点参观化石博物馆。

★ 什么时间参观博物馆？

A 上午 9 点半　　B 中午 12 点半　　C 下午两点

64. 杨教授，您好！我们是中央电视台的记者，想采访您一下。我们能到您的办公室聊聊吗？

★ 杨教授现在大概在什么地方？

A 电视台　　B 商店　　C 学校

65. 这个地方原来有很多商店，现在这里变成公园了。虽然人们买东西不方便了，但是环境比以前好多了，附近的居民经常来这里散步。

★ 附近的人们以前经常来这个地方：

A 买东西　　B 散步　　C 吃饭

66. 咱们学校的篮球队输了不是一次两次了，我觉得这次也不可能赢。

★ 这个篮球队怎么样？

A 只赢了一两次　　B 经常输　　C 只输了一两次

67. 我们旅游团 8 月 15 号出发，先去上海、杭州，再去深圳、香港，大概 8 月底回到北京。

★ 他们从哪儿出发？

A 上海　　B 深圳　　C 北京

68. 这套房子每月的租金是两千块钱，没有对面的那套便宜。

★ 对面的那套房子每月租金可能是：

A 2000 块　　B 2500 块　　C 1500 块

69. 昆明跟北京不一样，那里一年四季都是春天。

★ 在一年中，哪个城市的气温变化小？

A 上海　　B 昆明　　C 北京

70. 王老师，听说你要去韩国，能麻烦您帮我捎点儿东西吗？这是上周去北京给我爱人买的书，他来信说想要。

★ 她的爱人现在在哪儿？

A 韩国　　B 北京　　C 上海

三、书 写

第一部分

第 71–75 题

例如：小船　　上　　一　　河　　条　　有

河上有一条小船。

71. 吗　　你　　唱　　会　　京剧

72. 晚上　　电影　　一刻　　7 点　　开始

73. 下　　课　　我们　　了　　吃饭　　就　　去

74. 哥哥　　两岁　　比　　大　　我

75. 把　　请　　翻译　　句子　　成　　汉语　　这个

第二部分

第 76-80 题

例如：没（ 关 guān ）系，别难过，高兴点儿。

76. 你是中国人（ 还 hái ）是韩国人？

77. 田芳喜欢绿（ 色 sè ）。

78. 我姐姐是（ dài ）夫，在医院工作。

79. 祝你生日（ 快 kuài ）乐！

80. 明天（ 星 xīng ）期三。

新汉语水平考试

HSK（三级）模拟试卷 *8*

注　意

一、HSK（三级）分三部分：

1. 听力（40 题，约 35 分钟）

2. 阅读（30 题，25 分钟）

3. 书写（10 题，15 分钟）

二、**答案先写在试卷上，最后 10 分钟再写在答题卡上。**

三、全部考试约 90 分钟（含考生填写个人信息时间 5 分钟）。

一、听 力

第一部分

第 1–5 题

A

B

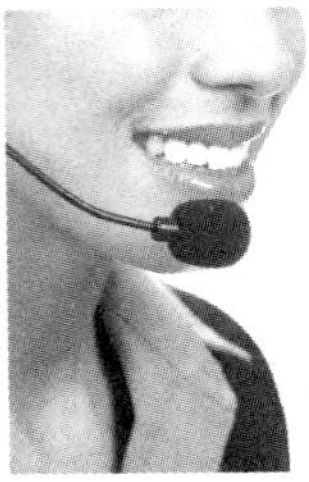

C

D

E

F

例如：男：喂，请问张经理在吗？

　　　女：他正在开会，您半个小时以后再打，好吗？　　B

1.

2.

3.

4.

5.

第 6–10 题

A

B

C

D

E

6.

7.

8.

9.

10.

第二部分

第 11–20 题

例如：为了让自己更健康，他每天都花一个小时去锻炼身体。

★ 他希望自己很健康。 （ √ ）

今天我想早点儿回家。看了看手表，才 5 点。过了一会儿再看表，还是 5 点，我这才发现我的手表不走了。

★ 那块手表不是他的。 （ × ）

11. ★ 这件衣服他非常满意。 （ ）

12. ★ 这本书他可以借 30 天。 （ ）

13. ★ 他的病好了。 （ ）

14. ★ 他想和玛丽一起去听音乐会。 （ ）

15. ★ 他会唱京剧，但是唱得不好。 （ ）

16. ★ 他的进步很大。 （ ）

17. ★ 现在他一共上八门课。 （ ）

18. ★ 今天是周末，他起得比平时晚得多。 （ ）

19. ★ 他喜欢用笔和纸写信。 （ ）

20. ★ 最近他的工作很忙。 （ ）

第三部分

第 21-30 题

例如：男：小王，帮我开一下门，好吗？谢谢！
女：没问题。 您去超市了？买了这么多东西。
问：男的想让小王做什么？

A 开门 √ B 拿东西 C 去超市买东西

21. A 篮球 B 足球 C 乒乓球

22. A 今年 B 明年 C 去年

23. A 复印 B 找人 C 打电话

24. A 桌子上 B 床上 C 书架上

25. A 下周三 B 下周四 C 下周五

26. A 检查作业 B 一起吃饭 C 检查身体

27. A 汉语 B 英语 C 法语

28. A 商店 B 饭馆 C 菜市场

29. A 上班 B 上车 C 等车

30. A 过生日 B 结婚 C 去西安

第四部分

第 31–40 题

例如：女：晚饭做好了，准备吃饭了。
男：等一会儿，比赛还有三分钟就结束了。
女：快点儿吧，一起吃，菜凉了就不好吃了。
男：你先吃，我马上就看完了。
问：男的在做什么？

A 洗澡　　B 吃饭　　C 看电视　√

31.　A 旅游　　B 留学　　C 回国

32.　A 便宜一点儿　　B 方便点儿　　C 贵一点儿

33.　A 88764236　　B 88764326　　C 88764239

34.　A 医院　　B 电影院　　C 图书馆

35.　A 照片　　B 镜子　　C 地图

36.　A 洗大了　　B 不好看了　　C 洗小了

37.　A 正在发 E-mail　　B 要去邮局寄信　　C 在跟姐姐聊天儿

38.　A 中国菜　　B 日本菜　　C 韩国菜

39.　A 不好　　B 看不懂　　C 不错

40.　A 头疼　　B 肚子疼　　C 玩儿累了

二、阅 读

第一部分

第 41–45 题

A 今天星期六，坐车太挤，骑车去怎么样？

B 明年我们那儿也要建一个更大的机场呢！

C 下周公司派我去上海，别忘了给鱼换水。

D 当然。我们先坐公共汽车，然后换地铁。

E 珍妮，这块手表太漂亮了！很贵吧？

F 今天是中秋节。看，外边的月亮又圆又大！

例如：你知道怎么去那儿吗？　　（ D ）

41. 哦，不是买的，是朋友送给我的。　　（E ）

42. 没问题！大概要几天换一次水？　　（　 ）

43. 外边正下雪呢，骑车不方便。　　（　 ）

44. 这个新机场真大呀！　　（　 ）

45. 广播说在晚上 11 点 40 分左右最圆最亮。　　（F）

第 46–50 题

A 2 月 9 日是田芳的生日，她是我最好的朋友，送她一件什么礼物好呢？

B 同学，你大学几年级了？

C 这么贵啊！能不能便宜点儿？我买两斤。

D 你是来中国以后才喜欢书法的吗？

E 6300 多公里，我在一本书上看到的。

46. 我来中国以前就对书法感兴趣。 (　　)

47. 女孩子喜欢零食，送她一盒巧克力吧。 (　　)

48. 香菜五块一斤。 (　　)

49. 我不是学生了，已经工作三年了。 (　　)

50. 你知道长江有多长吗？ (　　)

第二部分

第 51-55 题

A 搬家　　B 毕业　　C 声音　　D 糖　　E 一样　　F 律师

例如：她说话的（ C ）多好听啊！

51. 这杯咖啡太苦了，请给我加点儿（　　）好吗？

52. 星期六小王（　　），我们一起去帮他吧。

53. 珍妮，明天 10 点钟在体育馆门前集合，拍（　　）照。

54. 小张大学学的是法律，现在在（　　）事务所上班，他总是很忙。

55. 麦克和张东（　　），都非常喜欢喝红葡萄酒。

第 56-60 题

A 叫　　B 正好　　C 水平　　D 摆　　E 套　　F 爱好

例如：A：你有什么（ F ）？
　　　B：我喜欢体育。

56. A：今年的圣诞节（　　）是星期六。
　　B：太好了，第二天没有课，我们可以玩儿得晚一点儿。

57. A：妈妈（　　）我明天上午去给姥姥送点儿水果。
　　B：那我们下午再去看电影吧。

58. A：老师，您觉得我这次可以参加 HSK 三级考试吗？
　　B：当然了，今年你的汉语（　　）提高得很快，加油吧！

59. A：这盆花儿（　　）在哪儿好呢？
　　B：放到客厅的窗台上吧，那里阳光好。

60. A：我们上个月看的那（　　）房子又贵了三万！
　　B：是吗？当时下决心买了就好了。

第三部分

第 61–70 题

例如：您是来参加今天会议的吗？您来早了一点儿，现在才 8 点半。您先进来坐吧。

★ 会议最可能几点开始？

A 8 点　　B 8 点半　　C 9 点　√

61. 我在北京的时候吃过一次全聚德烤鸭，来这儿以后一次还没吃过呢。

★ 他吃过烤鸭吗？

A 从来没吃过　　B 在北京吃过一次　　C 在这儿吃过一次

62. 珍妮，有时间就多听听音乐。音乐可以给我们带来快乐。

★ 音乐可以让我们：

A 快乐　　B 漂亮　　C 紧张

63. 许多人喜欢早上洗澡，也有人喜欢中午洗。其实在晚上睡觉以前洗澡是最好的，水的温度最好在 40 度到 50 度之间。

★ 什么时间洗澡最好？

A 早上　　B 中午　　C 晚上

64. 珍妮感冒好几天了，发烧，还咳嗽。可是她还没上医院检查，只是吃了点儿从美国带来的药。

★ 珍妮这几天：

A 发烧、咳嗽　　B 上医院检查了　　C 没有吃药

65. 本田的爸爸给他写信，让他马上回国，因为家里有急事需要他回去处理。

★ 本田：

A 给爸爸写信了　　B 回国上大学　　C 需要马上回国

66. 小王总是一边学习一边玩儿，考试分数出来的时候，他后悔极了。

★ 小王这次考试：

A 考得很好　　B 考得还可以　　C 考得不好

67. 小李，王明的工作经验很丰富，你去问问他吧，他会告诉你怎么加快完成这项工作的。

★ 小李的工作经验：

A 比王明丰富　　B 没有王明丰富　　C 和王明一样丰富

68. 妈妈，我到机场了，但是忘记带护照了。应该在卧室的桌子上，您快点儿打车给我送来吧，我在机场等您。

★ 他怎么了？

A 忘带钱了　　B 想让妈妈送他　　C 忘带护照了

69. 学好汉语的发音，特别是声调，对很多留学生来说是件困难的事情。

★ 根据这句话，可以知道：

A 汉语的发音不好听　　B 汉语的声调不好学　　C 汉字很容易学

70. 现在世界上很多人都喜欢旅游，旅游对经济发展有好处，可是有时候也会给环境带来污染。

★ 旅游：

A 只有好处　　B 只有坏处　　C 有好处，也有坏处

三、书 写

第一部分

第 71–75 题

例如：小船　上　一　河　条　有

河上有一条小船。

71. 坐　来　船　中国　我　是　的

72. 有　图书馆　许多　里　书

73. 哥哥　喜欢　弟弟　都　和　游泳

74. 经常　爸爸　广州　出差　到

75. 等　我们　在　了　半小时　车站

第二部分

第 76–80 题

例如：没（ guān 关 ）系，别难过，高兴点儿。

76. 我们去上海参（ guān ）。

77. 那个（ tóng ）学是昨天来的。

78. 我的房间又干（ jìng ）又安静。

79. 约翰（ zhèng ）在打电话。

80. 这个句子我没听（ dǒng ）。

新汉语水平考试

HSK（三级）模拟试卷 *9*

注　　意

一、HSK（三级）分三部分：

　　1. 听力（40 题，约 35 分钟）

　　2. 阅读（30 题，25 分钟）

　　3. 书写（10 题，15 分钟）

二、答案先写在试卷上，最后 10 分钟再写在答题卡上。

三、全部考试约 90 分钟（含考生填写个人信息时间 5 分钟）。

一、听　力

第一部分

第 1-5 题

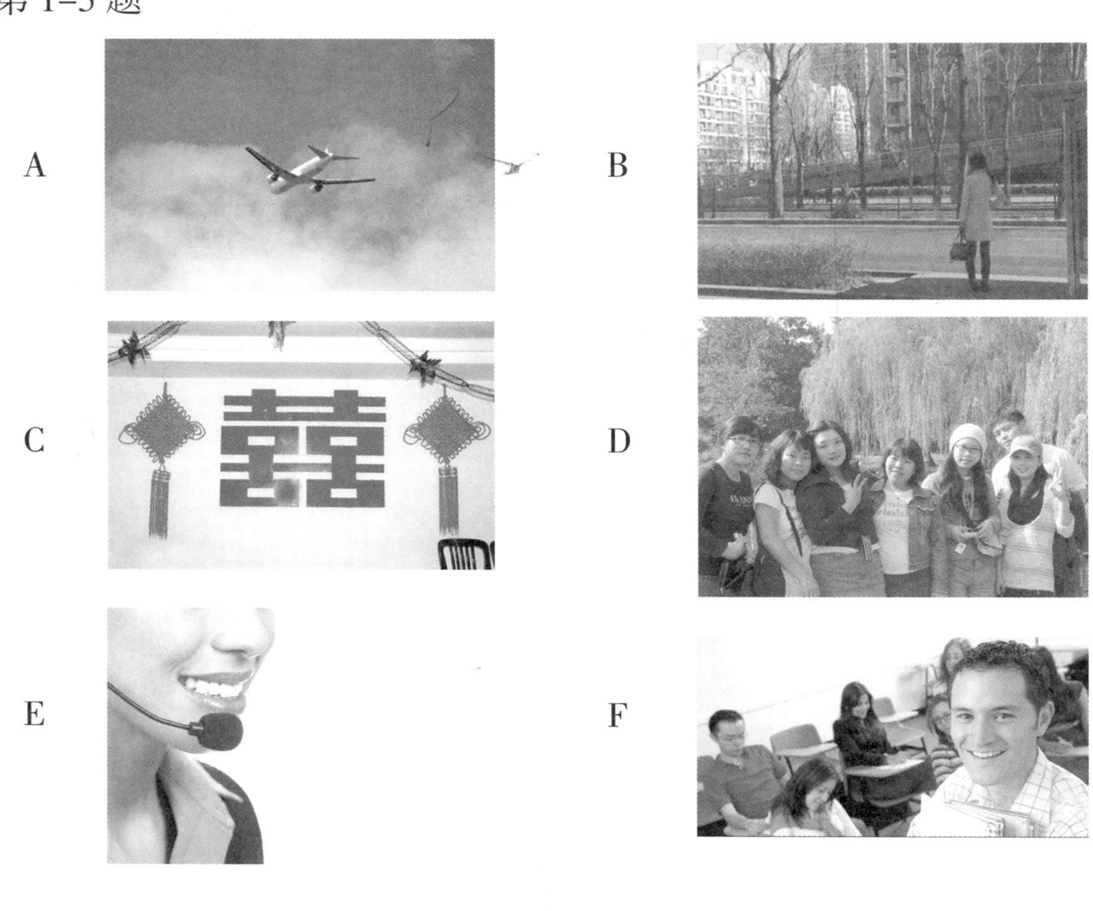

例如：男：喂，请问张经理在吗？

女：他正在开会，您半个小时以后再打，好吗？　E

1.

2.

3.

4.

5.

第 6–10 题

A

B

C

D

E

6. ☐

7. ☐

8. ☐

9. ☐

10. ☐

第二部分

第 11-20 题

例如：为了让自己更健康，他每天都花一个小时去锻炼身体。

★ 他希望自己很健康。 （ √ ）

今天我想早点儿回家。看了看手表，才 5 点。过了一会儿再看表，还是 5 点，我这才发现我的手表不走了。

★ 那块手表不是他的。 （ × ）

11. ★ 现在这条牛仔裤卖 190 块。 （ ）

12. ★ 他是个年纪大的外国人。 （ ）

13. ★ 银行 5 点钟下班。 （ ）

14. ★ 王老师没有联系到张立。 （ ）

15. ★ 看新年音乐会的话需要买票。 （ ）

16. ★ 他昨天睡觉比平时早。 （ ）

17. ★ 这本书一共 35 课。 （ ）

18. ★ 今年的冬天特别冷。 （ ）

19. ★ 他现在很习惯在中国的生活。 （ ）

20. ★ 他第一次参加 HSK 考试。 （ ）

第三部分

第 21–30 题

例如：男：小王，帮我开一下门，好吗？谢谢！

女：没问题。 您去超市了？买了这么多东西。

问：男的想让小王做什么？

A 开门 √　　B 拿东西　　C 去超市买东西

21. A 借书证　　B 身份证　　C 签证

22. A 日元　　B 欧元　　C 美元

23. A 下雪了　　B 下雨了　　C 刮风了

24. A 葡萄　　B 香蕉　　C 橘子

25. A 她没有新衣服穿了　　B 以前的旧了　　C 这件样子好看

26. A 回国　　B 旅游　　C 打工

27. A 填空　　B 阅读　　C 听写

28. A 西装　　B 衬衫和领带　　C 不知道

29. A 搬家　　B 祝贺　　C 买礼物

30. A 忘带电话了　　B 电话丢了　　C 电话没电了

第四部分

第 31–40 题

例如：女：晚饭做好了，准备吃饭了。
男：等一会儿，比赛还有三分钟就结束了。
女：快点儿吧，一起吃，菜凉了就不好吃了。
男：你先吃，我马上就看完了。
问：男的在做什么？
A 洗澡　　B 吃饭　　C 看电视　√

31.　A 中国　　B 美国　　C 迪拜

32.　A 果汁　　B 可乐　　C 牛奶

33.　A 一对夫妻　　B 两个雪人儿　　C 外边下雪了

34.　A 25 公斤　　B 27 公斤　　C 29 公斤

35.　A 老师和学生　　B 医生和病人　　C 妈妈和儿子

36.　A 饭店　　B 宿舍　　C 自己家

37.　A 生病了　　B 开车很慢　　C 去医院看妹妹

38.　A 在桥的西边　　B 在红楼的旁边　　C 在桥的东边

39.　A 长胖了　　B 变瘦了　　C 累病了

40.　A 演员表演得好　　B 景色不好　　C 故事内容很复杂

二、阅 读

第一部分

第 41–45 题

A 每个周末我都和朋友一起去那儿游泳或者打篮球。

B 她在花园里，正在给花儿浇水呢。

C 这个工具怎么用呢？

D 你说过对音乐很感兴趣，我送你两张音乐会的票吧。

E 超市的橙子又好吃又便宜，你买点儿吧。

F 当然。我们先坐公共汽车，然后换地铁。

例如：你知道怎么去那儿吗？ （ F ）

41. 爸爸，妈妈在哪儿呢？姐姐打电话找她。 （ B ）

42. 你经常去我们学校的体育馆吗？ （ A ）

43. 谢谢，你真好！ （ D ）

44. 哦，我也是第一次用，我们看一看说明书吧。 （ C ）

45. 我要去超市买东西，你想要什么？ （ E ）

第 46-50 题

A 这件衣服真漂亮，就是贵了点儿。

B 今天是八月十五，月亮又圆又亮。

C 这个湖里的鱼真多啊！

D 下个月的第一个星期天，就是我 27 岁的生日了。

E 你看到水果刀了吗？

46. 八月十六的月亮比今天还圆呢！ （ B ）

47. 你今年多大了？ （ D ）

48. 现在正在打折呢。你试试看吧。 （ A ）

49. 就在厨房的桌子上，你去找找吧。 （ E ）

50. 是啊，你看那边就有一条，真漂亮。 （ C ）

第二部分

第 51–55 题

A 口音　　B 出生　　C 业余　　D 声音　　E 以后　　F 特别

例如：她说话的（ D ）多好听啊！

51. 我（ B ）在中国的一个北方城市，从小就很喜欢家乡的红叶。

52. （ C ）时间，除了喜欢唱歌、跳舞以外，我还喜欢练书法。

53. 中国太大了，北方人和南方人说话的（ A ）是不同的。

54. 他结婚（ E ）不长时间，小王也结婚了。

55. 上周六的那个画展（ F ）好，大家都喜欢珍妮的那幅画儿。

第 56-60 题

A 去年　　B 从　　C 只好　　D 打听　　E 爱好　　F 尤其

例如：A：你有什么（ E ）？
　　　B：我喜欢体育。

56. A：（　　）北京到香港有多少公里？
　　B：有两千多公里吧。

57. A：我们到中国已经有一年多了。
　　B：是呀，我们是（　　）10 月 1 号来的，那天正好是中国的国庆节。

58. A：银行已经下班了，我们（　　）明天再来了。
　　B：星期六银行里人多，我们明天上午早点儿来吧。

59. A：我们班同学都很努力，（　　）是玛丽，每天都学习到很晚。
　　B：是的，她每次考试都是班级第一名。

60. A：王芳，超市里的菜都很贵，咱们别在这儿买了。
　　B：好吧，我们去（　　）一下附近哪儿有菜市场。

第三部分

第 61–70 题

例如：您是来参加今天会议的吗？您来早了一点儿，现在才 8 点半。您先进来坐吧。

★ 会议最可能几点开始？

A 8 点　　B 8 点半　　C 9 点　√

61. 小东，你别乱动，那是你哥要送给朋友的油画。

★ 这张油画要给谁？

A 小东　　B 哥哥　　C 哥哥的朋友

62. 张华的父亲是电视台的记者，他每天都很忙，周末也不休息。

★ 张华的父亲：

A 工作很忙　　B 工作不太忙　　C 工作不太累

63. 韩国人和中国人一样，都用筷子吃饭。小金用筷子没问题。

★ 小金是哪国人？

A 中国人　　B 法国人　　C 韩国人

64. 小芳生病了，这几天都没怎么吃东西，等她想吃东西的时候就是她的病快要好了。

★ 小芳怎么了？

A 生病了　　B 喜欢吃东西　　C 病好了

65. 刚到上海的时候，我对这里的情况不熟悉，经常问别人银行、商店或医院怎么走。现在我已经在这里住了三年了，经常告诉别人怎么走。

★ 他刚到上海的时候：

A 对上海很熟悉　　B 对上海不熟悉　　C 不知道上海有银行

66. 经理要是还不同意，我们只好再写一个计划书了。

★ 经理以前：

A 同意　　B 不同意　　C 喜欢

67. 今天下课以后我不能跟大家一起去吃饭了，奶奶病了好几天了，我得去医院照顾奶奶。

★ 奶奶怎么了？

A 吃饭去了　　B 住院了　　C 病好了

68. 珍妮在市场看到了一个小包，特别可爱，卖包的人要 200 块，珍妮讲了半天价，最后花 80 块买了下来。

★ 珍妮买的包花了多少钱？

A 200 块　　B 80 块　　C 120 块

69. 我们的计划是参观五个城市，每个城市用一天的时间。今天是 10 号，我们还有三天就回去了。

★ 他们几号参观结束？

A 10 号　　B 15 号　　C 13 号

70. 我们家三口人喜欢的节目不一样。每天总是先让儿子看动画片，然后是妻子的电视剧，等他们都看完了，我再找找看还有没有京剧。

★ 爸爸喜欢看：

A 动画片　　B 电视剧　　C 京剧

三、书 写

第一部分

第 71–75 题

例如：小船　　上　　一　　河　　条　　有

　　河上有一条小船。

71. 哪儿　　汉语　　你　　在　　学习

72. 校长　　去　　让　　你　　他　　办公室　　的

73. 姐姐　　下　　就　　来　　了　　要　　个　　月　　北京

74. 玛丽　　词典　　了　　德语　　丢　　一本

75. 觉得　　北京　　我　　很　　秋天　　的　　美

第二部分

第 76-80 题

例如：没（ 关 guān ）系，别难过，高兴点儿。

76. 我们（ dōu ）是留学生。

77. 田芳头疼，有点儿（ fā ）烧，没来上课。

78. 火车站离你家多（ yuǎn ）？

79. 玛丽已经做（ wán ）作业了。

80. 黑板上的字太小，看不（ qīng ）楚。

新汉语水平考试

HSK（三级）模拟试卷 *10*

注　　意

一、HSK（三级）分三部分：

1. 听力（40题，约35分钟）
2. 阅读（30题，25分钟）
3. 书写（10题，15分钟）

二、**答案先写在试卷上，最后10分钟再写在答题卡上。**

三、全部考试约90分钟（含考生填写个人信息时间5分钟）。

一、听　力

第一部分

第 1–5 题

A 

B 

C 

D 

E 

F 

例如：男：喂，请问张经理在吗？

　　　女：他正在开会，您半个小时以后再打，好吗？　　B

1. ☐

2. ☐

3. ☐

4. ☐

5. ☐

第 6–10 题

A

B

C

D

E

6.

7.

8.

9.

10.

第二部分

第 11–20 题

例如：为了让自己更健康，他每天都花一个小时去锻炼身体。

★ 他希望自己很健康。 （ √ ）

今天我想早点儿回家。看了看手表，才 5 点。过了一会儿再看表，还是 5 点，我这才发现我的手表不走了。

★ 那块手表不是他的。 （ × ）

11. ★ 他长得很像中国人。 （ ）

12. ★ 他不喜欢在宿舍学习，因为宿舍很吵。 （ ）

13. ★ 妻子不想买汽车。 （ ）

14. ★ 今天他的心情很好。 （ ）

15. ★ 明天是周末。 （ ）

16. ★ 他出去借东西的时候有人来找过他。 （ ）

17. ★ 假期他不能照顾他的小猫。 （ ）

18. ★ 他和麦克打算星期天一起去商场。 （ ）

19. ★ 他大学毕业以后一直工作。 （ ）

20. ★ 他今天没去上课。 （ ）

第三部分

第 21–30 题

例如：男：小王，帮我开一下门，好吗？谢谢！

女：没问题。您去超市了？买了这么多东西。

问：男的想让小王做什么？

A 开门 √　　B 拿东西　　C 去超市买东西

21.　A 白色　　B 黑色　　C 灰色

22.　A 报纸　　B 小说　　C 画报

23.　A 旅游　　B 工作　　C 学习

24.　A 黄瓜　　B 西瓜　　C 南瓜

25.　A 电视　　B 报纸　　C 书

26.　A 毛衣　　B 高跟鞋　　C 旗袍

27.　A 医院　　B 商店　　C 宾馆

28.　A 觉得很好　　B 觉得不太好　　C 随便

29.　A 旅行的时间　　B 旅行的地点　　C 旅行的原因

30.　A 退休了　　B 买了一只小狗　　C 散步去了

第四部分

第31-40题

例如：女：晚饭做好了，准备吃饭了。
男：等一会儿，比赛还有三分钟就结束了。
女：快点儿吧，一起吃，菜凉了就不好吃了。
男：你先吃，我马上就看完了。
问：男的在做什么？

A 洗澡　　B 吃饭　　C 看电视　√

31.　A 天气　　B 季节　　C 温度

32.　A 喝酒　　B 唱歌　　C 抽烟

33.　A 介绍同学　　B 介绍女朋友　　C 看病

34.　A 401　　B 403　　C 407

35.　A 同事　　B 同学　　C 老师和学生

36.　A 零下11度　　B 零下20度　　C 零下29度

37.　A 洗碗　　B 准备考试　　C 抽烟

38.　A 最近身体不好　　B 在医院工作　　C 不喜欢打乒乓球

39.　A 画儿　　B 足球　　C 花儿

40.　A 水很深　　B 水比较浅　　C 水很大

二、阅 读

第一部分

第 41–45 题

A 星期天咱们一起去钓鱼吧。

B 我明天要去医院检查身体，顺便开点儿药回来。

C 最近快考试了，时间很紧张，爸爸不让我上网聊天儿。

D 小红这一年在我们班组织了很多活动。现在她又开始忙着准备新年联欢会了。

E 这里的包子又大又好吃。

F 当然。我们先坐公共汽车，然后换地铁。

例如：你知道怎么去那儿吗？　　（ F ）

41. 我妈妈也不让，她说这样会影响学习。　　（ ）

42. 好啊，不过我很少钓鱼，你教教我吧。　　（ ）

43. 因为她是班里的班长嘛，所以总是很忙。　　（ ）

44. 你明天干什么？　　（ ）

45. 嗯，就是价格比别的地方高点儿。　　（ ）

第 46–50 题

A 姐姐，你昨天借的杂志放在哪儿了？我想看看。

B 请把那支钢笔拿给我看看好吗？

C 别难过了，它自己会回来的。

D 张小姐，我想请你跳个舞，可以吗？

E 我是北方人，以前在南方工作过 5 年。

46. 请问，您买什么？ （ ）

47. 就在客厅的沙发上。 （ ）

48. 你是不是南方人？听你说话的口音有些像。 （ ）

49. 小狗那么小，走丢了可怎么办啊！ （ ）

50. 音乐快要结束了，我们等下一支舞曲吧。 （ ）

第 51–55 题

A 热情　　B 声音　　C 清楚　　D 将来　　E 经验　　F 让

例如：她说话的（　B　）多好听啊！

51. 黑板上写的是什么？你看（　　）了没有？

52. 我觉得中国人很（　　），他们常常帮助我们这些不懂中文的老外。

53. 我们要学好汉语和中国文化，（　　）到中国来工作。

54. 职员们工作都非常努力，这（　　）我看到了公司的希望。

55. 王老师工作快 20 年了，教学（　　）很丰富，学生们都喜欢上他的课。

第56-60题

A 被　B 离　C 爱好　D 留念　E 接着　F 手表

例如：A：你有什么（ C ）？
　　　B：我喜欢体育。

56. A：现在（　）比赛开始还有多长时间？
　　B：差不多10分钟。

57. A：我的（　）好像又慢了，现在都应该7点了吧？
　　B：已经7点半了。你真应该去修修了！

58. A：你怎么才来？电影马上就要开始了。
　　B：我刚才（　）警察批评了一顿，他说我停车停得不对。

59. A：听说麦克昨天用汉语表演节目了。
　　B：是，他先读了一首古诗，（　）又唱了一支中文歌。

60. A：珍妮，这儿的风景多美啊，我们一起拍照（　）吧。
　　B：好啊！就在这棵树下吧，你看这红叶美极了！

第三部分

第 61–70 题

例如：您是来参加今天会议的吗？您来早了一点儿，现在才 8 点半。您先进来坐吧。

★ 会议最可能几点开始？

A 8 点　　B 8 点半　　C 9 点　√

61. 沈阳：最高气温 29℃，最低气温 19℃。上海：最高气温 32℃，最低气温 23℃。

★ 上海的最低气温比沈阳的高几度？

A 2 度　　B 3 度　　C 4 度

23-19=4°C

62. 老李，你应该换一双鞋了，这双鞋都穿了三年了，快要被你给穿坏了。

★ 这双鞋：

A 非常新　　B 已经坏了　　C 非常旧

63. 田芳，我想请你教我包饺子，好吗？这样当我回国的时候，就可以给妈妈和爸爸包饺子吃了。

★ 谁教“我”包饺子？

A 妈妈　　B 田芳　　C 爸爸

64. 因为玛丽很努力，学习方法又好，所以她的学习成绩一直很好。

★ 玛丽：

A 成绩很好　　B 成绩还可以　　C 成绩不太好

65. 儿子特别喜欢家里的电视，他经常跟别人说：“我家里有四口人——爸爸、妈妈、我和电视。”别人听到后都觉得很有意思。

★ 从对话中可以知道他家有几口人？

A 四口人　　B 三口人　　C 两口人

66. 麦克，我听说那个酒吧的红酒、白酒和啤酒都很好喝，不过我还没去过呢，我们圣诞节一起去好吗？

★ 他去过那个酒吧吗？

A 经常去　　B 从没去过　　C 圣诞节去过

67. 王芳，今天的水果好吃得很，你吃吧。吃完陪我出去散散步好吗？

★ 王芳大概什么时候会陪说话人去散步？

A 吃水果的时候　　B 吃完饭以后　　C 吃完水果以后

68. 你要是去办公室找王明，最好先给他打个电话，他有的时候出去办事，不一定每天都在。

★ 根据上面的句子，可以知道王明：

A 每天都在办公室　　B 总出差　　C 有时候出去办事

69. 中国真大呀，今天早晨，我穿着羽绒服在哈尔滨上的飞机，中午到海南就换上凉鞋、裙子了，一天之内过了两个季节。

★ 现在海南是什么季节？

A 春天　　B 夏天　　C 冬天

70. 电脑是我们的好朋友，利用电脑学习和工作，又快又方便。

★ 用电脑学习和工作：

A 很慢　　B 不快　　C 很方便

三、书 写

第一部分

第 71–75 题

例如：小船　　上　　一　　河　　条　　有

　　河上有一条小船。

71. 很少　　我　　去　　看　　京剧

72. 姐姐　　新　　件　　买　　一　　了　　毛衣

73. 不　　下雨　　就　　要是　　公园　　去

74. 半小时　　排　　才　　买　　队　　票　　到　　了

75. 教　　老师　　唱　　我们　　歌　　中文

第二部分

第 76–80 题

guān
例如：没（ 关 ）系，别难过，高兴点儿。

guǒ
76. 苹（　　）一斤三块钱。

shū
77. 山田喜欢京剧和（　　）法。

shuì
78. 我洗了澡就（　　）觉。

bào
79. 玛丽能看懂中文（　　）了。

yǎn
80. 电影快开（　　）了。

听力文本 Listening Script

HSK（三级）模拟试卷 *1*

（音乐，30 秒，渐弱）

大家好！欢迎参加 HSK（三级）考试。
大家好！欢迎参加 HSK（三级）考试。
大家好！欢迎参加 HSK（三级）考试。

HSK（三级）听力考试分四部分，共 40 题。

请大家注意，听力考试现在开始。

第一部分

一共 10 个题，每题听两次。

例如：男：喂，请问张经理在吗？
　　　女：他正在开会，您半个小时以后再打，好吗？

现在开始第 1 到 5 题：

1. 女：在外面跑了一下午，一定饿了吧？我给你做饭去。
   男：我不饿，回家以前和朋友一起吃过了。

2. 女：我很久没回德国了，父母和朋友都说很想念我。
   男：你可以寄一张在中国旅行的照片回去。

3. 男：您好！请您注意交通安全，过马路请走人行横道。
   女：噢，对不起。

4. 男：张阿姨，您脸色怎么这么不好？是不是病了？去看医生了吗？
   女：我刚从医院回来，医生给我开了点儿药，让我多休息，多喝水。

5. 男：听说这本书很受中国大学生欢迎，是吗？
   女：是啊，你要是想看，可以先借给你。

现在开始第 6 到 10 题：

6. 女：大爷，天这么冷，您还出来运动啊？
   男：习惯了。你看，有这么多人跟我一起打太极拳呢。

7. 男：史密斯太太，上周那次同学聚会你怎么没参加呢？
   女：我女儿跟经济代表团去中国了，我在家给她带孩子呢。

8. 男：春节是中国最重要的传统节日，你打算怎么过？
   女：我打算和家人在一起贴春联、包饺子、放鞭炮。

9. 男：照片上站在你旁边的是你妹妹吧？在哪里照的？
   女：哪儿啊，那是我大学同学。新年联欢会照的。大家都说我们俩长得很像。

10. 男：请问，建设银行怎么走？
    女：您沿着这条路一直走，在第一个路口向右拐，有一栋白色的楼就是。

第二部分

一共 10 个题，每题听两次。

例如：为了让自己更健康，他每天都花一个小时去锻炼身体。

★ 他希望自己很健康。

今天我想早点儿回家。看了看手表，才五点。过了一会儿再看表，还是五点，我这才发现我的手表不走了。

★ 那块手表不是他的。

现在开始第 11 题：

11. 我是去年来中国留学的，原来打算在这儿学习一年汉语，现在觉得一年的时间太短了，所以准备再延长一年。

    ★ 他的想法变了。

12. 我朋友要来沈阳看我，飞机下午两点半到，下了课我就去机场接朋友。

    ★ 今天他不去上课。

13. 今年寒假我要回国，在家里待两个月，开学前一个星期回学校。

    ★ 他打算回国一个星期。

14. 我们班的麦克上课总迟到，有一天他早来了二十分钟，后来一问才知道，是他看错表了。
★ 那天麦克的表坏了。

15. 我请了一位辅导老师，是中文系的研究生，每个星期三和星期六的晚上，她来给我辅导两个小时汉语。
★ 他的辅导老师每周辅导他两个小时。

16. 接客人的朋友们请注意，从北京开往沈阳的 K53 次列车就要到达沈阳北站了，请您到第二站台接站。
★ 上面这段话是在火车站说的。

17. 那个新电影拍得很好，看的人特别多，你要是想看的话，必须提前两天去买票。
★ 他不用提前买电影票。

18. 我姐姐已经三十多岁了，还没结婚呢，朋友给介绍了好几个男朋友，没有一个她满意的。
★ 他姐姐不想结婚。

19. 我奶奶今年已经七十八岁了，每天都坚持去公园散步，邻居们都说她是“健康老人”。
★ 他奶奶身体很好。

20. 我不是不喜欢旅行，可是一旅行我就会生病，每次出去时我都带药。
★ 他不喜欢旅行。

第三部分

一共 10 个题，每题听两次。

例如：男：小王，帮我开一下门，好吗？谢谢！
女：没问题。您去超市了？买了这么多东西。
问：男的想让小王做什么？

现在开始第 21 题：

21. 女：你看这雪景多漂亮啊！可是我没带照相机。
男：没关系，用我的手机照吧。
问：女的想做什么？

22. 男：小姐，我昨天在这儿给孩子买了一双旅游鞋，有点儿小，能不能换双大点儿的？
女：没问题，想要多大号的？
问：男的想做什么？

23. 女：小金，听说你搬到校外去住了，你平时怎么来学校呢？
男：我骑车来学校，天气不好就打车来。
问：小金平时怎么来学校？

24. 男：请问去邮局怎么走？
女：从这儿一直往前走，到第一个路口向左拐，再走五六十米就到了。
问：男的应该在哪儿拐弯？

25. 女：咱们在这站下车吧，到学校正门下有点儿远。
男：还是到正门下吧。
问：男的想在哪站下车？

26. 男：几点了？该做晚饭了吧？
女：可不，都差一刻六点了。
问：现在几点了？

27. 女：大强，我这首法文歌唱得怎么样？
男：这个世界上没有比你唱得更好的了！
问：男的是什么意思？

28. 男：老师辛苦了，再见！
女：再见！周末愉快！
问：上面的对话可能是在什么地方说的？

29. 女：请坐。你怎么了？哪儿不舒服？
男：我昨天晚上开始头疼、嗓子疼，好像还有点儿发烧。
问：女的可能是做什么的？

30. 男：你想喝点儿什么？可乐还是雪碧？
女：我不喜欢喝可乐和雪碧。有绿茶吗？
问：女的想喝什么？

第四部分

一共 10 个题，每题听两次。

例如：女：晚饭做好了，准备吃饭了。
男：等一会儿，比赛还有三分钟就结束了。
女：快点儿吧，一起吃，菜凉了就不好吃了。
男：你先吃，我马上就看完了。
问：男的在做什么？

现在开始第 31 题：

31. 男：请问，我想买外国人学汉语的书，在几楼？
女：三楼。
男：谢谢！
女：不客气。
问：他们在哪儿？

32. 男：飞机晚点了，一定等着急了吧？
女：嗯，开始是有点儿担心，不过后来知道你们已经起飞了，就放心了。
男：咱儿子放假了吗？
女：快了，下周开始。他今天想来接你，我没让他请假。
问：他们俩是什么关系？

33. 女：听说你就要出国留学了？什么时候走？我去机场送你。
男：下周二。您工作那么忙，不用您送。
女：你走我不能不送。
男：那太麻烦您了。
问：女的去不去机场送行？

34. 男：哎，国庆节快要到了，“十一”放假时想不想去逛逛世博园？
女：怎么不想呢？听说现在那儿的菊花可好看了。
男：那我们多找几个同学一起去。
女：好啊！就这么说定了！
问：中国的国庆节是几月几号？

35. 男：玛丽，来中国以后你看过京剧吗？
女：和中国朋友一起看过一次。
男：你觉得有意思吗？能听懂吗？
女：怎么说呢？我觉得和唱歌不一样，我听不懂。
问：女的看过京剧吗？

36. 男：老师，我们什么时候开始放寒假？
女：一月二十二号。
男：今年怎么这么晚呢？
女：今年中国的春节比较晚，在二月十四号，开学也比以前晚一周。
问：今年放寒假的时间和以前一样吗？

37. 男：老师，中国人过端午节的时候吃什么呀？
女：吃粽子呀。端午节那天我们班一起做饭吃，我从家里给你们带粽子来，同学们每个人做一个拿手菜，怎么样？
男：太好了，我们可以吃到粽子了！
女：好了，现在开始上课！
问：端午节谁带粽子来？

38. 女：昨天的晚会你们看了吗？觉得怎么样？
男：看了，真精彩！尤其是那个《新版西游记》，太有意思了！
女：我笑得肚子都疼了。
男：真没想到，留学生的汉语说得那么地道。
问：昨天晚会上表演《新版西游记》的是什么人？

39. 女：中间这个穿裙子的人是谁？
男：你不认识？她就是我们学校的校长。
女：我以为是您妻子呢。
男：旁边这个是我妻子。
问：中间的那个人是谁？

40. 男：奇怪，我的腿怎么这么疼？
女：是吗？星期天跑步了？
男：没有，我和同学一起去踢足球了。
女：那就不奇怪了，你太长时间没运动了。
问：男的怎么了？

听力考试现在结束。

HSK（三级）模拟试卷 2

（音乐，30 秒，渐弱）

大家好！欢迎参加 HSK（三级）考试。
大家好！欢迎参加 HSK（三级）考试。
大家好！欢迎参加 HSK（三级）考试。

HSK（三级）听力考试分四部分，共 40 题。

请大家注意，听力考试现在开始。

第一部分

一共 10 个题，每题听两次。

例如：男：喂，请问张经理在吗？
　　　女：他正在开会，您半个小时以后再打，好吗？

现在开始第 1 到 5 题：

1. 男：我明天要去参加美国朋友的婚礼，不知道应该准备什么礼物。
　 女：你可以送他一束花和一张卡片，上面写上你的祝福。

2. 男：外面天阴得这么厉害，恐怕要下雨了。
　 女：是啊，咱们出去得带把雨伞。

3. 男：我发现这个城市有很多西餐店，你喜欢吃西餐吗？
　 女：我不会用刀子和叉子，所以觉得吃中餐更方便。

4. 男：时间过得真快，还有半年就毕业了。
　 女：你开始找工作了吗？我刚在一所高中找到了一个教英语的工作。

5. 男：现在商店里卖的都是年青人穿的衣服，适合我们这个年龄穿的太少了。
　 女：可不是嘛，中老年人买衣服太难啦！

现在开始第 6 到 10 题：

6. 男：今年寒假这么长，你怎么不回国呢？
　 女：我汉语只学了三个月，担心回国以后都忘了。

7. 男：你都在电脑前坐了两个多小时了，起来活动一下吧。
女：知道了，我写完这个邮件就休息。

8. 男：王老板，最近饭店的生意怎么样？
女：我请了个新厨师，他做的菜味道很好，来吃饭的客人越来越多了。

9. 男：你不是不爱看足球比赛吗？为什么还要买票？
女：我男朋友喜欢，我想陪他一起看。

10. 男：我的书包呢？你看见了吗？
女：门口的那个是不是你的？旁边还有一本书。

第二部分

一共 10 个题，每题听两次。

例如：为了让自己更健康，他每天都花一个小时去锻炼身体。
★ 他希望自己很健康。

今天我想早点儿回家。看了看手表，才五点。过了一会儿再看表，还是五点，我这才发现我的手表不走了。
★ 那块手表不是他的。

现在开始第 11 题：

11. 我很少给家里写信，也不常打电话，喜欢用电子邮件和家人联系。
★ 他常常给家人打电话。

12. 姐姐比我大三岁，不过个子没有我高。
★ “我”比姐姐高。

13. 先生，请问市政府广场在哪个方向？我找不到来时的路了。
★ 他迷路了。

14. 我想让麦克跟我一起学习太极拳，可是他说他不感兴趣。
★ 麦克不想学习太极拳。

15. 糟糕，今天钥匙忘带了，进不去屋了。
★ 他的钥匙丢了。

16. 我问麦克会不会开车，他说他开得不太好。
★ 麦克不会开车。

17. 今天天气真好，比昨天暖和多了，我们出去照几张相吧。
★ 今天没有昨天暖和。

18. 昨天下午我想打车送朋友去火车站，没想到在路边等了二十分钟才打到车。
★ 昨天他打车不顺利。

19. 我觉得屋里有点儿凉，我把窗户关上吧。
★ 刚才窗户是关着的。

20. 刚来中国留学时，我对天气和饭菜都不习惯，汉语说得也不好，没有什么朋友，特别想家。
★ 刚来中国时，“我”很想家。

第三部分

一共 10 个题，每题听两次。

例如：男：小王，帮我开一下门，好吗？谢谢！
女：没问题。您去超市了？买了这么多东西。
问：男的想让小王做什么？

现在开始第 21 题：

21. 男：好香啊！妈妈，晚上做什么好吃的了？
女：你先洗手吧，饭马上就做好了。
问：晚饭做好了吗？

22. 男：这种红袜子五块五一双，蓝的六块，白的五块。
女：我买最便宜的。
问：女的会买哪种颜色的袜子？

23. 男：喂，你好！是贸易公司办公室吗？
女：对不起，您打错了。
问：男的在做什么？

24. 男：不好意思，作业里有这么多错字啊，我看了三遍都没发现。

女：呵呵，你要是再认真一点儿就好了。
问：男的写完作业后检查过没有？

25. 女：先生，我有美元，想换成人民币。请问今天的兑换率是多少？
男：兑换率是6.84。请您填张兑换单。
问：女的现在在哪儿？

26. 男：天凉了，一会儿陪我去商店买件毛衣，好吗？
女：真巧，我也正想出去买些东西呢。
问：女的想不想去商店？

27. 男：今天是周末，天气这么好，我们一起去爬长城吧。
女：上周我去过了。一会儿要和中国朋友一起去军事博物馆。明天一起去颐和园划船怎么样？
问：女的今天要去哪儿？

28. 男：你常听汉语广播吗？
女：我哪有那么高的水平啊？不过我常看中国电视剧。
问：女的说的话是什么意思？

29. 男：这束玫瑰花真漂亮，男朋友送的吧？
女：不是，教师节了，学生们送给我的礼物。
问：花儿是谁送的？

30. 女：你知道咱们明天几点出发吧？别迟到了！
男：知道，七点二十五集合，七点四十出发，放心吧，忘不了！
问：明天他们什么时间出发？

第四部分

一共10个题，每题听两次。

例如：女：晚饭做好了，准备吃饭了。
男：等一会儿，比赛还有三分钟就结束了。
女：快点儿吧，一起吃，菜凉了就不好吃了。
男：你先吃，我马上就看完了。
问：男的在做什么？

现在开始第 31 题：

31. 女：哎，你以后想做什么？
男：我最想当一名篮球运动员，就像姚明那样的。
女：什么？你这身高，还是好好练乒乓球吧！
男：你不相信我吗？
问：女的是什么意思？

32. 男：老师，您猜我是谁？
女：大卫吧？你去南方旅游走到哪儿了？
男：我刚出北京站。
女：真的吗？你都回北京了？
问：男的去哪儿了？

33. 女：哎，咱俩的电子词典是一样的，你什么时候买的？多少钱？
男：一千六，刚买的。
女：比我的便宜五百块呢。
男：那你买得比我早。
问：女的花多少钱买的电子词典？

34. 女：家宇，咱们就在这儿照合影吧。
男：嗯，风景不错。奶奶，您在中间，爸爸、妈妈站两边，姐姐、姐夫，你们在后排。
女：找谁帮咱们拍一下呢？
男：不用，我先给你们照。
女：那好吧。
问：这张照片上会有几个人？

35. 女：石老师，听说您要去广州开会，能不能麻烦您点儿事？
男：别客气，说吧，什么事？
女：想求您帮我带点儿药，这儿买不到。
男：没问题，你把药名、药厂名字给我。
问：男的要去广州做什么？

36. 女：咳嗽得这么厉害呀！试试体温吧。
男：我觉得身上特别冷，头也疼。
女：三十九度二，烧得不低呀。你得了重感冒，打点儿点滴吧，好得快些。

男：这几天我们正考试呢，您还是给我开点儿口服药吧。
问：他们是什么关系？

37. 女：你又有哥哥又有姐姐，多好哇！
男：你觉得你父母只有你一个孩子，太少了，是不是？
女：可不。你们家过春节时一定很热闹！
男：嗯，不过我们小的时候，爸爸妈妈照顾我们三个很辛苦。
问：男的家有几个孩子？

38. 男：喂，玛丽，你现在在哪里呢？
女：是麦克呀，我在北方书店买听力书和录音光盘呢！
男：太好了，你帮我买几本书好吗？记一下书名。
女：我没有笔，你给我手机上发个短信吧。
问：女的在买什么？

39. 男：有人在家吗？我是来送比萨饼的。
女：咦，我没打电话要吃的啊！
男：这里不是黄山路 56 号吗？
女：这里是 59 号， 56 号在马路对面。
问：女的住在黄山路几号？

40. 女：王大爷，又去买菜呀？
男：接孙子去，他今天放学比较早。
女：您每天都接孙子上学、放学吗？
男：不是，今天他爸爸、妈妈都上班，没时间接。
问：王大爷去做什么？

听力考试现在结束。

HSK（三级）模拟试卷 3

（音乐，30 秒，渐弱）

大家好！欢迎参加 HSK（三级）考试。
大家好！欢迎参加 HSK（三级）考试。
大家好！欢迎参加 HSK（三级）考试。

HSK（三级）听力考试分四部分，共 40 题。

请大家注意，听力考试现在开始。

第一部分

一共 10 个题，每题听两次。

例如：男：喂，请问张经理在吗？
　　　女：他正在开会，您半个小时以后再打，好吗？

现在开始第 1 到 5 题：

1. 女：我说穿裙子来，你说不行，你看人家穿着多好看！
   男：穿裙子怎么钓鱼？哈哈，呼吸一下新鲜空气就很好。

2. 男：我妈妈退休后喜欢上了拍照，我给她买了一部照相机。
   女：老年人的生活就应该丰富一些。

3. 男：我儿子都三十五岁了，还不想要孩子，真让人着急。
   女：现在年青人工作压力大，要孩子都比较晚。

4. 男：今天是我爱人的生日，我想给她买个大蛋糕。
   女：我觉得送花儿更好，女人都喜欢花儿。

5. 男：这张画儿挂在这儿可以吗？
   女：很好，就应该挂在沙发上边的墙上。

现在开始第 6 到 10 题：

6. 男：今年冬天真冷啊，雪也下得特别大。
   女：冷是冷，不过空气一直很好，天蓝蓝的。

7. 男：请问，教外国人学习汉字的书在哪儿？
   女：在第二排右边的书架上。

8. 男：公司这几天特别忙，下班以后大家都在办公室加班。
   女：你要注意身体，不要总吃方便面。

9. 男：上个周末我们学院举办了留学生晚会，大家表演了很多精彩的节目。
   女：你怎么不早点儿告诉我？没看到，真遗憾。

10. 男：这是我今天新买的毛巾，质量很好，而且价格也不贵。
    女：你真会买东西！这是我最喜欢的牌子。

第二部分

一共 10 个题，每题听两次。

例如：为了让自己更健康，他每天都花一个小时去锻炼身体。
★ 他希望自己很健康。

今天我想早点儿回家。看了看手表，才五点。过了一会儿再看表，还是五点，我这才发现我的手表不走了。
★ 那块手表不是他的。

现在开始第 11 题：

11. 那部电视剧太好了，我还想再看一遍。
    ★ 他没看过那部电视剧。

12. 我问王丽会不会弹钢琴，她说小时候学过，可是弹得不太好。
    ★ 王丽不会弹钢琴。

13. 为了学习汉语，我们从世界各地来到中国。
    ★ 他们是外国留学生。

14. 昨天的联欢晚会上，老师让我给大家表演了一个节目。
    ★ 昨天老师表演节目了。

15. 小明今天上午考了两门，下午还要再考一门，然后就轻松了。
    ★ 小明现在很轻松。

16. 张东，你记住：这件事别告诉天宇。
★ 他不让张东把这件事告诉天宇。

17. 今天我们一起去饭店吃饭，我点了玛丽爱吃的水煮鱼、烧茄子和西红柿汤，可是玛丽今天嗓子疼，水煮鱼太辣，她吃不了。
★ 玛丽不喜欢吃水煮鱼。

18. 跟你说过了，抽烟对身体不好，别抽了！
★ 他身体不好。

19. 老师，我的书忘在家里了，只能跟同学同看一本。
★ 他的书丢了。

20. 王老师，我妈妈今天要来北京看我，我得去机场接她，不能去上课了。
★ 他今天去火车站接妈妈。

第三部分

一共 10 个题，每题听两次。

例如：男：小王，帮我开一下门，好吗？谢谢！
女：没问题。您去超市了？买了这么多东西。
问：男的想让小王做什么？

现在开始第 21 题：

21. 男：小红，别再看电视了，洗了手快点儿来吃饭。
女：知道了，爸爸，看完天气预报就去。
问：女的在做什么？

22. 男：我牙疼，家里还有止疼片吗？
女：我找找看。一片也没有了，我出去给你买吧。
问：女的要做什么？

23. 女：老师，您刚才说的那本成语词典在哪儿能买到？
男：大书店里都能买到。
问：女的想做什么？

24. 男：你一个女孩子，买这么大个背包做什么？要去什么地方吗？
女：你说对了，我报名参加了一个旅游团。你想不想一起去？
问：女的买那么大的背包做什么？

25. 女：小明，英语考试得了多少分？
男：妈妈，这次只差两分就 100 了。
问：小明考试得了多少分？

26. 男：下午没课的时候，我常去操场踢球或者打篮球。你的爱好是什么？
女：没来中国前我就对中国书法感兴趣，现在每周一、三、五都去业余书法班学习。
问：女的课下喜欢做什么？

27. 女：你好，张东！现在有时间吗？想和你一起聊聊天儿。
男：抱歉，我现在正忙着呢，一会儿给你回电话。
问：男的现在怎么样？

28. 男：好几天没看见你了，公司又派你去广州出差了？
女：哪儿啊，我妈妈病了，我请假回上海接她来治病。
问：女的前几天去哪儿了？

29. 女：哎，我问你，今天晚上能回来吃饭吗？
男：今晚又有聚会。你和孩子吃吧，别等我了。
问：男的说晚上要做什么？

30. 男：今天又刮大风了，这几天的天气真不好！
女：你穿上风衣走吧，一会儿还可能下雨呢。
问：最近几天天气怎么样？

第四部分

一共 10 个题，每题听两次。

例如：女：晚饭做好了，准备吃饭了。
男：等一会儿，比赛还有三分钟就结束了。
女：快点儿吧，一起吃，菜凉了就不好吃了。
男：你先吃，我马上就看完了。
问：男的在做什么？

现在开始第 31 题：

31. 女：请问，学校图书馆在哪儿？
男：你们是新生吧？我是大三的，我带你们在校园里走走吧。
女：那太好了！可是这样太麻烦你了。
男：没关系，我下午没课。
问：男的是做什么的？

32. 男：玛丽，你看那个人是麦克吗？
女：哪儿？哪个人？
男：超市门前从摩托车上下来的那个人。
女：不是，麦克比他高多了！
问：超市门前的那个人是谁？

33. 女：我今天头疼得厉害。
男：你是不是昨晚没休息好啊？
女：不是。我同学从外地来我家，昨天我陪她去医院看病，我穿得太少了。
男：那你一定是感冒了，昨天气温多低呀。
问：女的昨天做什么了？

34. 男：玛丽，你去哪儿啊？
女：去看电影，一起去吧。
男：我不去，刚来三个月，看不懂中文电影。
女：我也不是全看得懂。
问：女的去做什么？

35. 男：真对不起，我来晚了。
女：你怎么现在才到？我都等了你半个小时了！
男：我早就出来了，可路上堵车堵得厉害。走走走，我请你吃饭去。
女：我不吃，咱们还是先看花展吧。
问：女的要做什么？

36. 女：老师，去中国朋友家做客，带点儿什么礼物好呢？
男：朋友家有孩子吗？有孩子的话，买个玩具就挺好。
女：我朋友刚结婚半年，还没有孩子呢！
男：是这样啊，那就带点儿水果吧。
问：老师建议女的给朋友带什么礼物？

37. 女：哎，李强，你都有哪些业余爱好？
男：我喜欢运动，比如游泳、跑步、爬山什么的，尤其喜欢打篮球。
女：这么说，你的身体一定很棒。
男：那当然！
问：男的最喜欢什么运动？

38. 女：我介绍一下，这是我女儿文文，在英国留学，上周回来的。
男：毕业了？在英国学习什么专业？
女：学习法律，还没毕业呢，圣诞节放假就回来了。
男：学法律？将来也想和你妈妈一样当律师吧？
问：女的是做什么的？

39. 女：爸爸回来了。刚才妈妈来电话说，今晚她去看病人，晚点儿回来。
男：是吗？那晚饭你是想在家吃呢，还是去饭店吃？
女：在家吃吧，我很少有机会吃到爸爸做的饭呢。
男：好吧，那你先去写作业，饭做好了我叫你。
问：男的平时在家里常做饭吗？

40. 女：听说你想找汉语辅导老师，我认识一个中文系学生，一个小时 25 元。
男：老师，我想找那种……
女：你想找什么样的？
男：我想找那种互相学习的语伴。他教我汉语，我教他英语，不用付费。
问：男的学习什么？

听力考试现在结束。

HSK（三级）模拟试卷 4

（音乐，30 秒，渐弱）

大家好！欢迎参加 HSK（三级）考试。
大家好！欢迎参加 HSK（三级）考试。
大家好！欢迎参加 HSK（三级）考试。

HSK（三级）听力考试分四部分，共 40 题。

请大家注意，听力考试现在开始。

第一部分

一共 10 个题，每题听两次。

例如：男：喂，请问张经理在吗？
　　　女：他正在开会，您半个小时以后再打，好吗？

现在开始第 1 到 5 题：

1. 男：你在家呀？敲了半天门也没人开。
   女：我在卧室戴着耳机听音乐呢，没听见。

2. 男：下雨天早上上班的时候，出租车特别难打。
   女：我看你还是自己买辆车吧，想去哪儿也方便。

3. 男：经理，大成贸易公司的代表来了。
   女：我一会儿要接一个重要的电话，请他十分钟后到办公室来找我。

4. 男：还有两天就到二月十四号了，今年的情人节你和爱人打算去哪儿过？
   女：我们自从有了孩子以后，就没过过情人节。

5. 男：这些花儿太漂亮了！
   女：是呀，是我爷爷退休后自己种的。

现在开始第 6 到 10 题：

6. 男：你现在下楼吧，我还有五分钟就到你家门口了。
   女：这么快！我马上下去。

7. 男：这间咖啡厅刚开业不久，你觉得这儿怎么样？
   女：咖啡很好喝，环境也不错，是个约会的好地方。

8. 男：今天同事们都说我的新西服不错。谢谢老婆！
   女：怎么样？我说那种样式最适合你，你还不相信。

9. 男：走得这么快，这是要去哪儿啊？
   女：我丈夫把钥匙忘在家里了，来电话让我给他送去。

10. 男：今天的京剧表演真精彩。
    女：是呀，看完以后，我都想找一位老师教我唱京剧了。

第二部分

一共 10 个题，每题听两次。

例如：为了让自己更健康，他每天都花一个小时去锻炼身体。
★ 他希望自己很健康。

今天我想早点儿回家。看了看手表，才五点。过了一会儿再看表，还是五点，我这才发现我的手表不走了。
★ 那块手表不是他的。

现在开始第 11 题：

11. 我不跟你聊天儿了，今天老师留的作业我还没写完呢。
★ 他还没写完作业。

12. 我汉语精读考了 92 分，听和说考了 95 分，可是报刊才考了 76 分，真伤心。
★ 他对报刊考试成绩很满意。

13. 我想给师范大学打电话，可是接电话的人说他那儿是火车站。
★ 他打错电话了。

14. 我昨晚喝茶喝多了，很晚才睡着觉。
★ 他昨天晚上没睡觉。

15. 小明，你怎么才放学呀？妈妈早就做好饭了。
★ 妈妈早上就做好饭了。

16. 我到楼里时，看见李华刚出去。
★ 李华现在不在楼里。

17. 暑假我不回国，打算跟旅游团去云南旅行。
★ 暑假他要回国。

18. 昨天在超市买东西时见到王老师了，她以前教我汉语，两年没见，她更漂亮了。
★ 王老师现在教他汉语。

19. 玛丽今天不舒服，头疼，发烧，要去医院，不能来上课了。
★ 玛丽病了。

20. 你等等我，照相机忘带了，我回趟宿舍，马上就回来。
★ 他回宿舍取照相机。

第三部分

一共 10 个题，每题听两次。

例如：男：小王，帮我开一下门，好吗？谢谢！
女：没问题。您去超市了？买了这么多东西。
问：男的想让小王做什么？

现在开始第 21 题：

21. 女：火车七点四十就要开了，你怎么才到？
男：真倒霉，今天路上车太多了。
问：现在可能是几点？

22. 男：妈，你看，这本书才十多块钱。
女：有用你就买一本吧。
问：男的觉得那本书怎么样？

23. 女：麦克，期末考试结束了吗？
男：还没有呢，今天上午考阅读，下午考听力，然后就结束了。
问：麦克的考试结束了吗？

24. 女：你帮我看看，这件衣服怎么样。
男：我看不怎么样。
问：男的觉得衣服好看吗？

25. 女：你听说了吗？小红跟小白分手了。
男：是吗？我上月还听说他们准备今年“五一”举行婚礼呢。
问：小红和小白怎么了？

26. 男：玛丽，我去邮局寄包裹，你去不去？
女：不去，一会儿老师来给我辅导。你顺便帮我买两套纪念邮票吧。
问：女的要男的帮忙做什么？

27. 女：飞机八点半起飞，我们能赶上吗？
男：别担心，现在路上车不多，我们不会晚的。
问：他们要去哪儿？

28. 男：你们班一共有多少学生？美国留学生多吗？
女：12个，只有我一个美国人。
问：她们班里有几个美国人？

29. 男：我最喜欢上口语课了，不用写汉字，多轻松啊！
女：可是要学好汉语，听、说、读、写得一起学习才行！
问：男的最喜欢什么课？

30. 女：我家的电话号码我告诉过你呀。
男：唉，我的手机丢了。这次我得记在电话本上。
问：男的上一次把电话号码记在哪儿了？

第四部分

一共10个题，每题听两次。

例如：女：晚饭做好了，准备吃饭了。
男：等一会儿，比赛还有三分钟就结束了。
女：快点儿吧，一起吃，菜凉了就不好吃了。
男：你先吃，我马上就看完了。
问：男的在做什么？

现在开始第 31 题：

31. 女：周末我和同屋想去电影院看新电影《阿凡达》，你去不去？
男：我等着在网上看。
女：电影院是 3D 的，感觉不一样！
男：要去你们去吧。
问：男的想在哪儿看电影？

32. 女：你的武术这么棒，是谁教你的？
男：我跟一位中国老师学的。
女：咱们是朋友，你帮我跟你的老师说说，我也想学。
男：我们老师不教女学生。
问：男的跟谁学的武术？

33. 女：哎，你听，外面是什么声音？
男：那不是鞭炮声吗？
女：怎么晚上还有人结婚呢？
男：春节快到了，早上、晚上都有人放鞭炮。
问：人们为什么放鞭炮？

34. 男：这套房子的月租金是多少？
女：一千二。
男：能便宜点儿吗？
女：有家具，还有电器，不能再便宜了。
问：男的想做什么？

35. 男：请问，从武汉飞来的 CZ6233 到了吗？
女：天气原因，飞机晚点了。
男：晚点多长时间？
女：十八点四十分才能到，晚点一个小时二十分钟。
问：飞机不晚点应该几点到？

36. 男：请问，这里是中文系阅览室吗？
女：不是，这里是中文系会议室。
男：那您知道阅览室在哪里吗？我想查些资料。
女：阅览室在隔壁。
问：男的要找什么地方？

37. 男：导游小姐，今天你带我们去哪儿观光？
女：今天咱们去爬长城。
男：太好了！我常听人说，没到过长城就等于没来过中国。
女：对。今天去长城，明天去故宫。
问：他们今天去哪儿？

38. 女：小明，看见妈妈的手机了吗？
男：没看见啊！
女：快帮妈去厨房找找。
男：妈，手机在你手里拿着呢！
问：妈妈的手机在哪儿？

39. 男：姐姐，这是什么水果呀？我怎么从来没见过？
女：是我从海南带回来的木菠萝。
男：好吃吗？
女：你尝尝就知道了。
问：这种水果叫什么名字？

40. 女：你在家呀？今天怎么没去公司？
男：唉，别提了！我的牙疼死了。
女：那你去看了吗？
男：去了。
问：男的今天去哪里了？

听力考试现在结束。

HSK（三级）模拟试卷 *5*

（音乐，30 秒，渐弱）

大家好！欢迎参加 HSK（三级）考试。
大家好！欢迎参加 HSK（三级）考试。
大家好！欢迎参加 HSK（三级）考试。

HSK（三级）听力考试分四部分，共 40 题。

请大家注意，听力考试现在开始。

第一部分

一共 10 个题，每题听两次。

例如：男：喂，请问张经理在吗？
　　　女：他正在开会，您半个小时以后再打，好吗？

现在开始第 1 到 5 题：

1. 男：你学习汉语的目的是什么？为了工作？
   女：是的。到我们国家旅游的中国游客很多，我想当一名中文导游。

2. 男：近年来，在中国，养狗的人越来越多了。
   女：狗是人类的朋友。

3. 女：儿子，这是谁的照片呀？怎么在你的钱包里？
   男：妈，她就是我的外国女朋友啊，漂亮吧？

4. 男：能不能帮我们拍张照片？
   女：好的。大家笑一笑，说“茄子”！

5. 男：一到周末就加班，我已经好几个星期没回家看父母了。
   女：工作第一嘛。

现在开始第 6 到 10 题：

6. 男：爷爷的八十岁生日咱们得好好庆祝庆祝。
   女：那是当然了。在深圳工作的小妹也要请假回来。

7. 男：今年夏天真热呀！
   女：报纸上说，整个北半球都是这样，我真想整天待在水里边。

8. 男：这次考试我们班只有你得了 100 分，真了不起！祝贺你！
   女：谢谢，你考得也不错。

9. 男：我以后怎么跟你联系？
   女：打我的手机吧，你记一下我的号码。

10. 男：我想给女朋友买一件旗袍做生日礼物。
    女：这个主意不错。她喜欢什么颜色？

第二部分

一共 10 个题，每题听两次。

例如：为了让自己更健康，他每天都花一个小时去锻炼身体。
　　★ 他希望自己很健康。

　　今天我想早点儿回家。看了看手表，才五点。过了一会儿再看表，还是五点，我这才发现我的手表不走了。
　　★ 那块手表不是他的。

现在开始第 11 题：

11. 我们班的田中是公司派到中国来学习汉语的，虽然年纪很大，但是很努力。
    ★ 田中学习汉语很努力。

12. 你知道吗？我爷爷是律师，爸爸也是律师，但是叔叔是老师。
    ★ 他爸爸是老师。

13. 我问玛丽新年联欢会她们班准备表演什么节目，她说“保密！”。
    ★ 玛丽没告诉他是什么节目。

14. 我们公司新来了两个年青人，都是刚毕业的大学生。一个爱说爱笑，另一个干活多，说话少。
    ★ 这两个大学生刚来公司工作。

15. 李云，你好不容易来我家一次，今天就吃了饭再走吧。
    ★ 李云不常去他家。

16. 昨天是星期日，上午我去图书馆看了半天书，下午和同学去操场打了一会儿篮球，晚上参加了一个朋友的生日晚会。
★ 他昨天下午去体育馆打篮球了。

17. 我们班的十五名同学来自世界各个国家，大家一起学习汉语，互相关心、互相帮助，像一家人一样。
★ 这些学生都是中国人。

18. 我刚接到妈妈一个电话，说她和爸爸明天要去香港旅行。
★ 妈妈和爸爸要一起去香港旅行。

19. 我和男朋友很长时间没见面了，明天是周末，我们约好 10 点一起去看电影，然后去吃麦当劳。
★ 明天她和男朋友一起去看球赛。

20. 晚会六点才开始呢，咱们先坐这儿等一会儿吧。
★ 现在大概五点多。

第三部分

一共 10 个题，每题听两次。

例如：男：小王，帮我开一下门好吗？谢谢！
女：没问题。 您去超市了？买了这么多东西。
问：男的想让小王做什么？

现在开始第 21 题：

21. 女：进屋来等我吧，我马上就准备好了。
男：我不进去了，你快点儿，小王在楼下等我们呢。
问：说话时男的可能在哪儿？

22. 男：春天来了，天气暖和了，我们去公园放风筝吧。
女：好啊，可是我放得不好，你教教我吧。
问：女的让男的教什么？

23. 男：我们班有十八个学生，一半男生，一半女生。你们班呢？
女：我们班比你们班人多，十二个男同学，七个女同学。
问：女的班有多少名学生？

24. 男：老师，毕业后要是有机会，我还会再来中国的。
女：那好啊！来了别忘了来学校看看！
问：男的是做什么的？

25. 女：你常来这家饭馆吃饭吗？
男：我和张东、李华他们常来这儿，这里的菜好吃又不贵，我们都很喜欢。
问：这家饭馆的菜怎么样？

26. 男：怎么好多天没见到你了呀？出差了？
女：我请假了，妈妈住院了。
问：女的怎么了？

27. 女：师傅，车就停在这儿吧。
男：这个地方不能停车，得过这个路口。
问：女的想做什么？

28. 女：请问您要买什么？这些衣服和鞋子是新来的，很不错。
男：谢谢，我想问问，小王今天来上班了吗？
问：男的要做什么？

29. 女：关了吧，球赛你都看了一下午了，孩子还学习呢。
男：好好好，不看了，不看了！
问：男的刚才在做什么？

30. 男：听说了吗？咱们公司的小王下个月就要结婚了。
女：是吗？他毕业才半年呀。
问：小王怎么了？

第四部分

一共 10 个题，每题听两次。

例如：女：晚饭做好了，准备吃饭了。
男：等一会儿，比赛还有三分钟就结束了。
女：快点儿吧，一起吃，菜凉了就不好吃了。
男：你先吃，我马上就看完了。
问：男的在做什么？

现在开始第 31 题：

31. 男：您好！欢迎来到中国。请出示护照。
女：谢谢。这是我的护照，给您。
男：这次是来中国旅行吗？中国有很多名胜古迹。
女：我是来中国留学的，放假时会去旅行。
问：女的来中国做什么？

32. 女：我今晚去给我妈帮忙，不回家吃饭了，别等我。
男：我下了班跟你一起去吧。
女：不用，你也不顺路。自己弄点儿吃的吧。
男：就我一个人，在外面吃点儿就行。
问：男的打算去哪儿吃饭？

33. 女：打听一下，这附近有超市吗？
男：有啊，就在前边，往前走你能看到一所学校，然后从那儿过地下通道，马路对面就是一个大超市。
女：大概要走多长时间？
男：五分钟就到了。
问：女的想打听什么地方？

34. 女：先生，请问您要什么样的房间？
男：单人房就可以，一个晚上多少钱？
女：单人房没有了，双人间可以吗？一个晚上四百元。
男：没问题。这是我的护照。
问：男的今晚住什么样的房间？

35. 男：葡萄便宜了！十六块钱一箱！葡萄便宜卖！
女：一箱几斤？
男：二斤。看这葡萄多好啊，来一箱吧！
女：好吧，再来十块钱的小橘子。这是五十块。
问：女的一共花了多少钱？

36. 男：在这么好的饭店请我吃饭，让你们破费了。
女：哪里哪里。大卫，这是给你准备的餐具——刀叉和勺子。
男：其实吃中国菜我喜欢用筷子。

女：好的，我叫服务员马上给你拿一双筷子。
问：大卫今天想用什么餐具吃饭？

37. 女：咱们分别好多年了吧？这几年你都在忙什么呢？
男：我先在中国学了两年汉语，回国后又学了两年，毕业后在一家贸易公司工作，我是公司的翻译。
女：中文翻译？行啊，你挺厉害呀！
男：哪里哪里！
问：男的现在做什么？

38. 男：妈，明天我要和同事去游泳馆游泳。我的泳衣放哪儿了？
女：就在你的衣柜里。
男：我找了，没找到啊。
女：你不是明天用吗？着什么急呀？今晚下班后妈帮你找。
问：男的明天要去做什么？

39. 女：你怎么看上去不高兴呢？
男：今天比赛我们球队输了。
女：是吗？比分是多少？
男：41 比 40，只差 1 分。
问：球赛的比分是多少？

40. 男：谢谢你来送我，快回去吧。再见！
女：再见！下了飞机就给我来个电话啊！
男：放心吧！到了我就给你打电话。
女：多保重，一路平安!
问：这段对话最可能是在什么地方说的？

听力考试现在结束。

HSK（三级）模拟试卷 *6*

（音乐，30 秒，渐弱）

大家好！欢迎参加 HSK（三级）考试。
大家好！欢迎参加 HSK（三级）考试。
大家好！欢迎参加 HSK（三级）考试。

HSK（三级）听力考试分四部分，共 40 题。

请大家注意，听力考试现在开始。

第一部分

一共 10 个题，每题听两次。

例如：男：喂，请问张经理在吗？
　　　女：他正在开会，您半个小时以后再打，好吗？

现在开始第 1 到 5 题：

1. 男：我发现你们办公室的桌子上都有一些花儿呀鱼呀什么的。
　女：不懂了吧？这叫办公室文化。

2. 男：知道吗？我小时候的梦想就是成为迈克尔·乔丹那样的篮球明星。
　女：是吗？我也特别喜欢打篮球。

3. 男：你怎么了，打电话也不接？
　女：对不起，刚才在看一本小说，看得都入迷了。

4. 男：你自行车骑得这么好，在你们国家你也经常骑吧？
　女：我是来北京以后才学会的。

5. 男：您的血压还是有点儿高，要继续吃药。
　女：我知道了，谢谢大夫。

现在开始第 6 到 10 题：

6. 男：跟你说了多少遍了？你怎么还不回房间睡觉？
　女：爸爸，求求你，今天是电视剧的最后一集。

7. 男：你怎么开得这么慢？女人开车就是不行。
   女：你没看见前面堵车了？你开快点儿试试！

8. 男：才几点你就起来了？天还没亮呢。
   女：外面天阴得厉害，已经八点了，你也快起来吧。

9. 男：今天下课以后别去食堂了，我请客，咱们去吃火锅。
   女：太好了！冬天吃火锅最棒了。

10. 男：你的电子词典能不能借我用一下？我的没电了。
    女：没问题，你用吧。

第二部分

一共 10 个题，每题听两次。

例如：为了让自己更健康，他每天都花一个小时去锻炼身体。
　　★ 他希望自己很健康。

　　今天我想早点儿回家。看了看手表，才五点。过了一会儿再看表，还是五点，我这才发现我的手表不走了。
　　★ 那块手表不是他的。

现在开始第 11 题：

11. 天气预报说今天下午有小雪，到了三点多钟，天上真的飘起了小雪花。
    ★ 天气预报真准。

12. 小王上课迟到了半个小时，不是起来晚了，是半路上自行车坏了。
    ★ 小王迟到是因为起床晚了。

13. 昨天从动物园回来，书包忘在出租车上了，里面有汉语书、词典，还有我的护照。
    ★ 昨天他的书包丢了。

14. 我在中国旅行的时候，常常有中国人热情地帮助我，我觉得中国是一个友好的国家。
    ★ 他觉得中国人很友好。

15. 周末你来我家玩儿吧，我妈妈说给你包饺子，你也可以学着包。
★ 周末他可以吃到饺子。

16. 我在国外工作过两年，假期总是去旅行，到过很多城市，如布拉格、巴黎、布鲁塞尔等等，我最喜欢的是布拉格，不大，但是非常美。
★ “我”去过布拉格，“我”觉得布拉格是个美丽的城市。

17. 上课时，老师问同学们的爱好，我说除了唱歌、跳舞以外，还喜欢打乒乓球。
★ “我”只有一个爱好，是打乒乓球。

18. 公园里有一条河，河边有一片绿色的草地，很多小朋友在草地上跑来跑去，玩儿得特别高兴。
★ 小朋友们在公园里玩儿得很开心。

19. 我去找田芳时，她不在，她的同屋玛丽告诉我，田芳去图书馆了。
★ 田芳和玛丽住在一个宿舍。

20. 广州贸易公司的王经理要来北京开会，宋秘书让我明天去机场接他。
★ 宋秘书明天去机场接王经理。

第三部分

一共 10 个题，每题听两次。

例如：男：小王，帮我开一下门，好吗？谢谢！
　　　女：没问题。您去超市了？买了这么多东西。
　　　问：男的想让小王做什么？

现在开始第 21 题：

21. 女：张东，我去图书馆借书，你陪我去好吗？
男：对不起，我在等人，麻烦你帮我还两本书吧。
问：男的让女的帮他做什么？

22. 男：我还没见过你妹妹的男朋友呢。
女：照片后排的那个男孩儿就是我妹妹的男朋友，他们快要结婚了。
问：她妹妹结婚了吗？

23. 男：请问，展览馆离这儿还有多远？
女：一直往前走，大概五百米，马路对面一座白色的小楼就是，在中国银行和图书馆中间。
问：男的想去哪里？

24. 女：晚上不开车，喝杯啤酒怎么样？
男：还是来点儿红酒吧。
问：男的要喝什么酒？

25. 男：下雨了，我们今天不能去公园划船了，怎么办？
女：那就去看电影吧。
问：他们开始时想去做什么？

26. 女：怎么这么晚才回来呀？又加班了？
男：没有，我在车站遇到大学同学赵刚了，我们一起去喝咖啡了。
问：男的为什么回来晚了？

27. 男：奶奶，您吃一个苹果吧。
女：苹果太硬了，给奶奶拿一个橘子来吧。
问：奶奶想吃什么水果？

28. 女：劳驾，把小姜的词典递给我好吗？
男：给你。
问：说话人最可能在什么地方？

29. 女：我买两根黄瓜、三个西红柿，再买四个土豆。
男：小葱不要点儿吗？
问：对话中没提到什么蔬菜？

30. 女：我的书呢？我放在桌子上了，怎么不见了？
男：我给放回书架上去了。
问：书现在在哪里？

第四部分

一共 10 个题，每题听两次。

例如：女：晚饭做好了，准备吃饭了。
男：等一会儿，比赛还有三分钟就结束了。
女：快点儿吧，一起吃，菜凉了就不好吃了。
男：你先吃，我马上就看完了。
问：男的在做什么？

现在开始第31题：

31 女：请问，你会说英语吗？
男：会一点儿，要帮忙吗？
女：请问长城饭店怎么走？
男：那边，红色大楼的东边。
问：女的要去哪儿？

32. 女：下一站是师范大学，有下车的吗？
男：有， 我要下车。
女：请拿好您的东西，从后门下车。小心点儿。
男：谢谢!
问：这段对话在哪儿能听到？

33. 男：你打算在中国学习几年？
女：我准备学两年。你呢？
男：我原来也打算学两年的，可现在家里有事，我得提前半年回国，暑假走。
女：是吗？那很快你就要回国了。
问：男的可以在中国留学多长时间？

34. 女：看看电影票，是几点的？
男：晚上七点的。
女：我们提前半小时出发就来得及。
男：好的，六点半准时出发。
问：电影几点开始？

35. 男：我的车钥匙哪里去了？你看见没？
女：没有呀，昨天你开车去牙医那里看牙了。
男：回来后我不是给你了吗？
女：对了，我放在客厅的柜子上了，就在电视旁边。
问：车钥匙在哪里？

36. 女：大卫先生，您是第一次来大连吗？
男：不，五年前我来过一次。
女：您觉得大连有什么变化吗？
男：变化太大了，街道宽了，楼高了，环境更美了。
问：大卫是第几次来大连？

37. 女：你预习新课了吗？
男：还没有呢，作业还没做完呢。
女：别玩儿电脑了，快点儿写作业去！
男：我累了，休息一会儿不行吗？
问：男的在做什么呢？

38. 男：明晚的活动你去还是我去？
女：明天我要开会，可能没有时间。
男：可是明天我要去外地出差，后天才能回来。
女：那好吧，会议一结束我就过去参加活动。
问：明晚谁去参加活动？

39. 男：什么事让你生这么大的气？
女：我等了小王半个多小时了，他也没来。
男：打个电话问问吧。
女：打了，他说昨晚睡得晚，刚起床，让我再等半小时。
问：女的怎么了？

40. 男：请问李云是在这个办公室吗？
女：是，你找他有事吗？
男：我是他大学同学，来这儿附近办事，顺便看看他。
女：哦，他昨天去广州出差了。
问：李云现在在办公室吗？

听力考试现在结束。

HSK（三级）模拟试卷 7

（音乐，30 秒，渐弱）

大家好！欢迎参加 HSK（三级）考试。
大家好！欢迎参加 HSK（三级）考试。
大家好！欢迎参加 HSK（三级）考试。

HSK（三级）听力考试分四部分，共 40 题。

请大家注意，听力考试现在开始。

第一部分

一共 10 个题，每题听两次。

例如：男：喂，请问张经理在吗？
　　　女：他正在开会，您半个小时以后再打，好吗？

现在开始第 1 到 5 题：

1. 男：杂志上说多喝绿茶对身体健康有好处。
   女：可是我有胃病，不能多喝。

2. 男：这是我第二次带你来海边看日出吧？
   女：嗯，我觉得自己是世界上最幸福的女人了。

3. 男：今天是什么日子，你忘了吗？
   女：我怎么能忘呢？四月二十五号是我们儿子出生的日子。

4. 男：时间过得真快，又要开学了。
   女：是啊，新学期你有什么打算？

5. 男：真奇怪，为什么人们总是以为我是中国人呢？
   女：那是因为你汉语说得跟中国人一样好啊！

现在开始第 6 到 10 题：

6. 男：我给您的价格已经是最低的了，您怎么还讲价啊？
   女：这种包在别的地方都比你这儿卖得便宜。

7. 男：你再坚持一会儿，马上就到了。
女：我还从来没爬过这么高的山呢，累死了。

8. 男：听说上周你去杭州旅行了？玩儿得好吗？
女：非常好！杭州西湖的风景美极了。

9. 男：车马上要开了，你回去吧。再见！
女：好，到了北京给我来电话。一路平安！

10. 男：刚才是谁打来的电话？聊得那么高兴？
女：是小芳。我们大学毕业以后好久没联系了。

第二部分

一共 10 个题，每题听两次。

例如：为了让自己更健康，他每天都花一个小时去锻炼身体。
★ 他希望自己很健康。

今天我想早点儿回家。看了看手表，才五点。过了一会儿再看表，还是五点，我这才发现我的手表不走了。
★ 那块手表不是他的。

现在开始第 11 题：

11. 我上网有时候收发 E-mail，有时候跟朋友聊天儿，有时候看电影，在网上我很少玩儿游戏。
★ 他不常玩儿电脑游戏。

12. 林老师教我们听力，王老师教我们口语。他们都是好老师，同学们都很喜欢他们。
★ 学生们很喜欢王老师和林老师。

13. 我汉字写得非常不好，不过我会拼音，在电脑上写汉字就比较容易了。
★ 他不会写汉字。

14. 今天是我二十岁的生日，朋友们为我举行了一个生日晚会，他们给我买了一个大生日蛋糕，还送了我许多礼物。在晚会上我们又唱又跳，玩儿得非常开心。

★ 生日这天他非常高兴。

15. 价钱便宜的东西不一定就都不好。你看，我买了一件跟小刘一样的衣服，他在大商场买的，花了五百八十块，我的才花了他一半的价钱。
★ 他买的这件衣服花了二百八十块。

16. 我每周一到周五上午都有课，周一、三、五下午还有选修课，没有课的下午，我的辅导老师来给我辅导一个小时。
★ 他每周二、四下午有辅导。

17. 我喜欢看电影，收集了上百个中国电影的DVD，如果你想看的话，我可以借给你。
★ 他是个电影迷。

18. 我刚来中国的时候，一句汉语也不会说。不过我的朋友来中国学习汉语两年了，他热情地帮助我，我的困难他都帮我解决了。
★ 他刚来中国的时候没有遇到过困难。

19. 我吃完晚饭以后看了一会儿电视，八点开始做作业，一直到十点钟才做完。
★ 他做作业做了两个小时。

20. 爸爸年青的时候来过中国，那时候他就喜欢上了中国。所以他也让我学习汉语，想让我以后带他在中国旅游。
★ 爸爸学习汉语是为了在中国旅行。

第三部分

一共10个题，每题听两次。

例如：男：小王，帮我开一下门，好吗？谢谢！
女：没问题。您去超市了？买了这么多东西。
问：男的想让小王做什么？

现在开始第21题：

21. 女：爸爸，明天是“六一”儿童节，你带我去哪儿玩儿？
男：爸爸带你去动物园看老虎，好不好？
问：明天他们去哪儿？

22. 女：小王，走这么快去哪儿啊？
男：孩子病了，去给他买药。
问：小王可能去哪儿？

23. 男：喂，你好！是贸易公司办公室吗？
女：对不起，您打错了。
问：男的在做什么？

24. 女：我要去借书，图书馆几点关门？
男：他们五点下班，不过四点半就不能借书了，只能还书。
问：图书馆几点关门？

25. 男：市场里太热闹了，买东西的人特别多。
女：春节快到了，大家都在买过年的东西。
问：什么节日要到了？

26. 男：我们新买的沙发搬回来了！
女：颜色很好，价格也不贵，坐着很舒服。
问：他们买什么了？

27. 女：你怎么天天晚上晚回家？
男：孩子太闹了，在公司还可以上上网，休息休息。
问：男的为什么不回家？

28. 女：这么多行李，你怎么拿呢？
男：我先拿个大的放到楼下的车里，再回来拿这两件小的就行了。
问：他们现在在哪儿？

29. 女：小张，你的病好了吗？
男：好多了。吃了您开的中药，身体感觉越来越轻松了。谢谢您！
问：女的是干什么的？

30. 女：听说你们家买了新房子，怎么样？
男：周围环境很好，买东西也方便，就是离公司有点儿远。
问：他的新房子怎么样？

第四部分

一共10个题，每题听两次。

例如：女：晚饭做好了，准备吃饭了。
　　　男：等一会儿，比赛还有三分钟就结束了。
　　　女：快点儿吧，一起吃，菜凉了就不好吃了。
　　　男：你先吃，我马上就看完了。
　　　问：男的在做什么？

现在开始第31题：

31. 女：请问这里是十排十四号吗？
　　男：不是，这是十二号，十四号在里边。
　　女：谢谢！请让我进去一下，好吗？
　　男：您请！
　　问：他们大概在哪儿？

32. 男：老师，请问我应该去哪个教室参加分班考试？
　　女：你学过多长时间汉语？
　　男：两年多。
　　女：那你去301教室吧。
　　问：男的学了多长时间汉语了？

33. 男：喂，您好，请帮我找一下李经理。
　　女：他正在开会呢，你一会儿再打来吧。
　　男：您知道他什么时候能回来？
　　女：一个小时左右吧。
　　问：李经理在做什么？

34. 女：麻烦给我拿一下那件红色的。
　　男：您穿多大的？
　　女：165的。
　　男：对不起，红色的没有165的了。
　　问：女的可能在买什么？

35. 男：田芳，你大学毕业了吗？

女：我已经工作两年了。
男：是吗？你现在做什么呢？
女：我是东方医院的儿科大夫。
问：田芳现在怎么样？

36. 女：这是我给你买的玩具汽车。
男：妈妈，您真好！
女：玩儿的时候小心一点儿，别再弄坏了！
男：知道了，放心吧！
问：他们是什么关系？

37. 男：小丽，天气预报说今天有中雨。
女：是吗？我今天还想去森林公园玩儿呢。
男：今天别去了，以后哪天天气好，我们一起去。
女：好吧。
问：小丽要去哪儿？

38. 男：刚才在商店里卖录音机的那个人是你姐姐吧？
女：你是说穿白衣服的那个吗？她是我妹妹。
男：你家一共有四口人吧？
女：不，有五口人，我还有一个哥哥呢。
问：穿白衣服的那个人是谁？

39. 女：爸爸，客人几点到啊？
男：说是十二点啊。
女：糟糕，还有半个小时了，客厅的地还没擦呢。
男：我来擦吧，你去准备水果。
问：他们为什么准备水果？

40. 男：珍妮，来中国后你去哪儿旅游过？
女：我去过苏州、杭州。
男：嗯，苏州园林和杭州的西湖很有名。
女：最近我还要去趟黄山，听说黄山的风景也很美。
问：女的最近打算去哪儿？

听力考试现在结束。

HSK（三级）模拟试卷 *8*

（音乐，30 秒，渐弱）

大家好！欢迎参加 HSK（三级）考试。
大家好！欢迎参加 HSK（三级）考试。
大家好！欢迎参加 HSK（三级）考试。

HSK（三级）听力考试分四部分，共 40 题。

请大家注意，听力考试现在开始。

第一部分

一共 10 个题，每题听两次。

例如：男：喂，请问张经理在吗？
　　　女：他正在开会，您半个小时以后再打，好吗？

现在开始第 1 到 5 题：

1. 男：老婆，我的登山鞋在哪里呀？明天我和朋友去爬山。
   女：你看看是不是在鞋柜的下边。

2. 男：我妹妹来信说要几张中国邮票。
   女：我去银行换钱，正好路过邮局，顺便帮你买吧。

3. 男：我特别喜欢中国书法，所以汉字课是我最喜欢的课。
   女：我和你不一样，我一看见汉字就头疼。

4. 男：今天是你的五十岁生日。生日快乐！
   女：快乐什么呀？又老了一岁。

5. 男：我以前的大学都是在春季举行运动会。
   女：这里的春天风沙比较大，所以运动会大多在秋季开。

现在开始第 6 到 10 题：

6. 男：太好了！天气预报说明天有雪。我在南非还从来没见过下雪呢。
   女：下雪以后就降温，到时候你就不会这么高兴了。

7. 男：你听说了吗？明天在音乐厅有世界级大师的演出。
女：这是我排了一个小时队才买到的票，咱俩一起去吧。

8. 男：喂！丽丽，你在家吗？我一会儿要开会，可能很晚才能回家。
女：我知道了，晚上开车小心点儿。

9. 男：你怎么吃得这么少？身体不舒服吗？
女：不是，叔叔。来之前我在同学家吃了一些水果。

10. 男：今年过年你得回你父母家吧？火车票买好了吗？
女：还没有呢，提前十天才能预订，现在买太早了。

第二部分

一共 10 个题，每题听两次。

例如：为了让自己更健康，他每天都花一个小时去锻炼身体。
★ 他希望自己很健康。

今天我想早点儿回家。看了看手表，才五点。过了一会儿再看表，还是五点，我这才发现我的手表不走了。
★ 那块手表不是他的。

现在开始第 11 题：

11. 这件衣服不大不小，不长不短，不肥不瘦，样子也很好，就是不是我想要的蓝色。
★ 这件衣服他非常满意。

12. 这本书我已经从图书馆借了二十天了，我还没有看完呢，还有十天就该还了。
★ 这本书他可以借三十天。

13. 我生病了，一个人躺在宿舍里，这个时候最想家了。我正在想妈妈的时候，老师和同学们来看我了，还给我带来了很多好吃的东西，我觉得病一下子好多了。
★ 他的病好了。

14. 玛丽，今天晚上七点在学校礼堂有一场音乐会，听说是一个国外的乐队来表演，去的人一定很多，我们吃了晚饭就早点儿去吧。

★ 他想和玛丽一起去听音乐会。

15. 我不但喜欢京剧，还请了一位老师每个星期三下午教我两个小时京剧。我学了一年了，现在老师说我已经唱得不错了。
 ★ 他会唱京剧，但是唱得不好。

16. 刚来中国的时候，我一句中国话也不会说。现在我学习汉语四个多月了，我已经能用汉语跟中国人对话了。
 ★ 他的进步很大。

17. 我在北京的一个大学学习汉语，我是本科二年级的学生。我们上午有四门课，下午学校还为我们开了三门选修课，我选了其中的一门。
 ★ 现在他一共上八门课。

18. 今天我不用早起，我睡到九点钟才起床。平时为了赶班车去学校上课，我六点钟就得起床。
 ★ 今天是周末，他起得比平时晚得多。

19. 现在人们很少用笔和纸写信了，都发 E-mail，但是我觉得发 E-mail 不如用笔和纸写信亲切。
 ★ 他喜欢用笔和纸写信。

20. 很长时间没跟同学们聚会了，最近我的工作不是很忙，我也想去。只是我妈妈生病住院了，下了班以后，我要去医院照顾她。
 ★ 最近他的工作很忙。

第三部分

一共 10 个题，每题听两次。

例如：男：小王，帮我开一下门，好吗？谢谢！
　　　女：没问题。您去超市了？买了这么多东西。
　　　问：男的想让小王做什么？

现在开始第 21 题：

21. 女：足球赛结束了就吃饭。
　　男：快了，还有五分钟，饿了你先吃吧。
　　问：男的在看什么比赛？

22. 男：丽丽，明年该大学毕业了吧？
女：王叔叔，我是去年毕业的，现在工作了。
问：丽丽什么时候毕业？

23. 女：小王，看见小李了吗？经理找他。
男：正在楼下办公室复印资料呢。
问：小李在做什么呢？

24. 女：小明，把桌子上的书放回到书架上吧。
男：妈妈，我还没看完呢，看完了就放回去。
问：现在书在哪里？

25. 男：我听说下周五有篮球比赛。
女：办公室通知，比赛要提前一天。
问：篮球比赛什么时候举行？

26. 男：田芳，通知同学们明天上午八点检查身体，别吃早饭。
女：知道了，老师，我一会儿就去。
问：学生们明天要做什么？

27. 男：你每天都用汉语写日记吗？
女：是啊，用汉语写，也用英语写。
问：女的不用什么语言写日记？

28. 女：先生，可以开始了吗？
男：再等一等，等人都到齐了再点菜。
问：他们可能在什么地方？

29. 女：等了十五分钟了，车还不来。等车的人越来越多，一会儿怕上不去了。
男：上不去也得上。上班迟到了怎么办？
问：他们在做什么？

30. 男：老同学，我下个月九号在西安结婚，邀请你来参加。
女：好的，我和小王一定去祝贺！
问：男的下个月有什么打算？

第四部分

一共 10 个题，每题听两次。

例如：女：晚饭做好了，准备吃饭了。
　　　男：等一会儿，比赛还有三分钟就结束了。
　　　女：快点儿吧，一起吃，菜凉了就不好吃了。
　　　男：你先吃，我马上就看完了。
　　　问：男的在做什么？

现在开始第 31 题：

31. 男：时间过得真快啊！
　　女：是啊，这学期快要结束了，马上就放假回国了。
　　男：我要买点儿礼物，不知道给小妹妹带什么礼物好。
　　女：小女孩儿都喜欢动物玩具，给她买个玩具熊猫吧。
　　问：男的要去哪儿？

32. 男：你回国的飞机票买好了吗？
　　女：我半年以前就买好了。
　　男：这么早啊！
　　女：提前买机票会便宜一点儿。
　　问：半年前买票怎么样？

33. 女：喂，你好，请帮我找一下麦克。
　　男：麦克？我们这儿没有这个人啊！
　　女：你那儿不是 88764326 吗？
　　男：不是，是 4236。
　　女：对不起，我打错了。
　　问：麦克的电话号码应该是多少？

34. 男：我借这几本书。
　　女：请把你的图书卡放到书上。
　　男：糟糕，我忘带了！
　　女：对不起，没有图书卡不能借书。
　　问：男的现在在哪儿？

35. 男：我的家乡在北京的南边，你看，就是这儿！

女：这上面的字太小了，我看不清。
男：这儿有个放大镜，你用它看。
女：哦，看到了，廊坊市。
问：他们在看什么？

36. 男：这件衣服怎么穿不进去了！
女：你是不是用热水洗的？
男：用热水洗不是更干净吗？
女：这样的衣服不能用热水洗，应该用凉水洗。
问：男的衣服怎么了？

37. 女：小明，信写完了吗？
男：妈妈，我在检查 E-mail 地址呢，马上就发送出去。
女：你姐姐什么时候能看到？
男：很快的，姐姐打开邮箱就能收到。
问：关于男的，可以知道什么？

38. 男：田芳，这里的牛肉好吃吗？
女：嗯，这儿的韩国烤牛肉真好吃！挺贵的吧？
男：是比较贵！不过今天我请客，多吃点儿！
女：谢谢，下次我请你吃中国菜！
问：他们在吃什么菜？

39. 男：你怎么哭了？
女：这本小说里的女孩儿得病快要死了！
男：杰克的小说总能让人流泪。
女：你也看过他的小说吗？
男：看过，写得不错。
问：杰克的小说怎么样？

40. 女：麦克，今天和妈妈一起去超市吧。
男：我的作业还没写完呢。
女：没写完？昨天晚上怎么不写？
男：昨天晚上头疼。
问：男的昨天为什么没写作业？

听力考试现在结束。

HSK（三级）模拟试卷 9

（音乐，30 秒，渐弱）

大家好！欢迎参加 HSK（三级）考试。
大家好！欢迎参加 HSK（三级）考试。
大家好！欢迎参加 HSK（三级）考试。

HSK（三级）听力考试分四部分，共 40 题。

请大家注意，听力考试现在开始。

第一部分

一共 10 个题，每题听两次。

例如：男：喂，请问张经理在吗？
　　　女：他正在开会，您半个小时以后再打，好吗？

现在开始第 1 到 5 题：

1. 男：你别生气，路上车坏了，我还有 5 分钟就到了。
   女：人家等你半个小时了。

2. 男：你们班新来的老师课讲得怎么样？
   女：虽然刚刚大学毕业，但是课讲得非常好，我们都很喜欢她。

3. 男：你们两个恋爱多长时间了？
   女：我们认识三年了，打算今年夏天举行婚礼。

4. 男：我不喜欢坐飞机，不但票价贵，而且还总晚点。
   女：那是因为最近天气不好。去远一点儿的地方还是坐飞机舒服。

5. 男：这是你们班的合影吧？什么时候照的？
   女：去年教师节在学校的小花园照的。

现在开始第 6 到 10 题：

6. 男：我今天去图书馆还书了，你的也快到期了吧？
   女：你要是不说，我都忘了，我下午就去。

7. 男：这双皮鞋是我在网上买的，怎么样？
女：真没想到你也在网上购物啊。

8. 男：麦克昨天半夜才睡觉，下午他躺在操场上就睡着了。
女：你看他的样子多可爱！

9. 男：我来北京两年了，还没去过长城呢。
女：是吗？这个周末有时间我陪你一起去。

10. 男：请问王强工程师是在这个办公室吗？
女：是，不过他今天请假了，没来上班。

第二部分

一共 10 个题，每题听两次。

例如：为了让自己更健康，他每天都花一个小时去锻炼身体。
★ 他希望自己很健康。

今天我想早点儿回家。看了看手表，才五点。过了一会儿再看表，还是五点，我这才发现我的手表不走了。
★ 那块手表不是他的。

现在开始第 11 题：

11. 这是我上个月买的牛仔裤，花了三百八十块。现在那家商场正在打折呢，这条裤子打了五折。
★ 现在这条牛仔裤卖一百九十块。

12. 听说我这个老外喜欢京剧，不少中国人都感到很吃惊。因为现在中国很少有年青人喜欢京剧了。
★ 他是个年纪大的外国人。

13. 我去银行取钱，可是银行的职员说现在不能取了。我一看表，才四点半，离银行下班的时间还有半个小时呢。
★ 银行五点钟下班。

14. 张立，今天你刚出去，王老师就给你来电话了。我告诉他你出去了，让他打你的手机，后来我发现，你的手机忘在宿舍里了。

★ 王老师没有联系到张立。

15. 明天下午三点在学校礼堂举行新年音乐会，想去看的同学，现在到办公室赵老师那儿去报名，明天上午免费领票。
    ★ 看新年音乐会的话需要买票。

16. 我平时晚上十一点左右睡觉，可是昨天觉得头有点儿疼，身上也不舒服，可能生病了。我吃了点儿药，还不到九点就上床了。
    ★ 他昨天睡觉比平时早。

17. 我们学得很快，这本书我们已经学到第二十五课了，还有五课就学完了。
    ★ 这本书一共三十五课。

18. 今年冬天的雪真多！这已经是今年第五场雪了，温度也是最近五年最低的一年。
    ★ 今年的冬天特别冷。

19. 刚来中国的时候，我对一切都不太习惯，常常想家。现在我对这儿的生活越来越习惯了，我还交了很多朋友，每天生活得很开心。
    ★ 他现在很习惯在中国的生活。

20. 这是我第一次参加汉语水平考试，觉得有点儿难。不过我才学了半年汉语，以后我要继续学习，一定会取得好成绩。
    ★ 他第一次参加 HSK 考试。

第三部分

一共 10 个题，每题听两次。

例如：男：小王，帮我开一下门，好吗？谢谢！
　　　女：没问题。您去超市了？买了这么多东西。
　　　问：男的想让小王做什么？

现在开始第 21 题：

21. 男：你好。我想办一张借书证。
    女：带身份证了吗？
    问：男的要办什么证？

22. 女：你换什么钱？
男：我有美元，换人民币。
问：男的有什么外币？

23. 男：刚才天上还有太阳呢，怎么突然下雨了？
女：夏天的天气就这样，变化特别快。
问：天气怎么了？

24. 男：家里没水果了，我去超市看看。你想吃什么？
女：邻居王阿姨说超市的葡萄又好吃又便宜，你买几斤吧。
问：女的让男的买什么水果？

25. 男：上个月你买的那件不是挺好吗？怎么又买了一件？
女：那件样子不好看。你看这件多漂亮啊！
问：女的为什么又买了一件衣服？

26. 女：暑假这么长时间，你怎么不回国呢？
男：我妈妈和妹妹要来中国，我陪她们到杭州、上海、南京旅行。
问：男的暑假要做什么？

27. 男：你们今天的汉语考试难吗？
女：填空不难，听写也简单，阅读挺难的。
问：今天的汉语考试什么题难？

28. 女：你在家做饭，我去给爸爸买套西装。
男：行。别忘了再给我买件衬衫，要是钱够，就再买条领带。
问：女的打算给自己买什么？

29. 男：小王搬新家了，我们明天要去他家祝贺，你去不去？
女：当然去，礼物我都买好了！
问：女的明天去做什么？

30. 男：昨天给你打了好几次电话，怎么不接啊？
女：我和爱人出去逛街，出门以后才发现没带电话。
问：女的为什么没接电话？

第四部分

一共 10 个题，每题听两次。

例如：女：晚饭做好了，准备吃饭了。
男：等一会儿，比赛还有三分钟就结束了。
女：快点儿吧，一起吃，菜凉了就不好吃了。
男：你先吃，我马上就看完了。
问：男的在做什么？

现在开始第 31 题：

31. 男：报纸上说在太空中能看到中国的长城。
女：是吗？还能看到别的建筑吗？
男：能看到全世界最高的酒店。
女：在哪里？
男：在迪拜。
问：世界上最高的酒店在哪儿？

32. 女：你的裤子怎么了？
男：下午喝果汁的时候，不小心洒在上面了。
女：可能洗不掉了。
男：真可惜，这是我新买的裤子。
问：什么弄脏了裤子？

33. 男：你看，外边的雪停了。
女：这场雪下得真大！
男：你看那边有两个大雪人儿。
女：是谁堆的？真有意思，像一对夫妻！
问：他们看到了什么？

34. 女：你的行李太重了，不行吧？
男：航空公司让带多重的行李？
女：听说每人只能托运三十公斤。
男：没问题，我还可以再带三公斤呢。
问：男的行李现在大概有多重？

35. 女：这是你的成绩单。
男：九十九分，太好了！
女：别骄傲，下学期的课要比现在的难得多。
男：是，王老师，您放心吧！
问：他们是什么关系？

36. 男：明天晚上是圣诞节平安夜，你和珍妮来我的宿舍吧，咱们一起做好吃的。
女：你们宿舍太小了，我们出去吃吧。
男：平安夜出去吃饭的人太多，不好找饭店。
女：好吧，去你那里。
问：他们圣诞节晚上准备在哪儿玩儿？

37. 男：你丈夫真帅！
女：那是我哥哥。开车的那个是我丈夫。
男：他们怎么来了？
女：我哥哥最近身体不好，我让爱人接他到我们医院看看。
问：女的哥哥怎么了？

38. 男：请问展览馆在哪儿？
女：你沿着这座桥一直走，看到一个红色的大楼就是。
男：在桥的东边吗？
女：不，在西边。
问：展览馆在哪儿？

39. 男：你看起来瘦多了。
女：是的。可能是因为这些天睡得太晚。
男：我也是。写毕业论文真不容易！
女：坚持吧，写完了就好了。
问：女的怎么了？

40. 女：这个电影怎么样？
男：虽然故事比较简单，但是演员演得不错。
女：还有，拍的景色也不错。
男：好像是在四川的九寨沟拍的。
问：电影怎么样？

听力考试现在结束。

HSK（三级）模拟试卷 *10*

（音乐，30 秒，渐弱）

大家好！欢迎参加 HSK（三级）考试。
大家好！欢迎参加 HSK（三级）考试。
大家好！欢迎参加 HSK（三级）考试。

HSK（三级）听力考试分四部分，共 40 题。

请大家注意，听力考试现在开始。

第一部分

一共 10 个题，每题听两次。

例如：男：喂，请问张经理在吗？
女：他正在开会，您半个小时以后再打，好吗？

现在开始第 1 到 5 题：

1. 男：王经理，来上海出差怎么不先打电话给我？我可以去接你呀！
女：我给你打过电话，你秘书接的。怎么？她没告诉你？

2. 女：你怎么一回到家就看电视？
男：电视是我的粮食、水和空气。

3. 男：太好了！王老师，这本书我早就想买了。给您钱。
女：这本书是送给你的礼物，以后要继续努力呀！

4. 男：最近报纸越来越厚，都是广告。
女：以后别买了，想看新闻就上网。

5. 男：小点儿声，女儿哭了半天刚睡着。
女：又找妈妈了吧？今天真是辛苦你了。

现在开始第 6 到 10 题：

6. 男：请问公园里有卖咖啡的吗？
女：这附近没有，在公园入口处有一家快餐店，那儿可以买到咖啡。

7. 男：喂，珍妮，明天的中国代表团由你来当翻译。
女：总经理，没问题，我一定好好准备。

8. 男：你怎么一边吃饭一边看书呢？这样对身体不好。
女：明天就要考试了，我还有好几课没复习呢。

9. 男：小高夫妇寒假要去哈尔滨看冰灯，邀请咱们一起去。
女：太好了！咱们俩好久没一起出去旅游了。

10. 男：看你这么高兴，这次考试考得很好吧？
女：还没看到成绩呢，不过感觉还不错。

第二部分

一共 10 个题，每题听两次。

例如：为了让自己更健康，他每天都花一个小时去锻炼身体。
★ 他希望自己很健康。

今天我想早点儿回家。看了看手表，才五点。过了一会儿再看表，还是五点，我这才发现我的手表不走了。
★ 那块手表不是他的。

现在开始第 11 题：

11. 他的汉语说得非常流利，如果不看他的人，只听他的声音，别人都以为他是中国人。
★ 他长得很像中国人。

12. 虽然我的宿舍很安静，但是我不爱在那儿学习。我喜欢在宿舍听听音乐或者上网跟朋友聊聊天儿。我常常去图书馆学习。
★ 他不喜欢在宿舍学习，因为宿舍很吵。

13. 中国有汽车的家庭越来越多了。我妻子也想买一辆汽车，可我还是觉得坐公共汽车不错，不开车对环境有好处。
★ 妻子不想买汽车。

14. 我以前不买贵的东西，可今天我也想去商场买套名牌穿穿，也许这样我的心情会好一点儿。

★ 今天他的心情很好。

15. 周末我有时候在宿舍休息，打扫房间，有时候跟朋友一起出去逛街、吃饭、看电影。明天我还没有想好做什么呢。

★ 明天是周末。

16. 你来宿舍找过我？我一天都在房间。你是不是三点左右来的？那时候我去邻居那儿借了点儿东西。

★ 他出去借东西的时候有人来找过他。

17. 我养了一只小猫儿，很可爱，我特别喜欢它。假期我回国的时候，我的邻居答应帮我照顾它。

★ 假期他不能照顾他的小猫。

18. 冬天快要到了，听说这里的冬天很冷。我还没有羽绒服呢，想去商场买一件。麦克也正想买一件大衣，于是我们就约好星期天一起去。

★ 他和麦克打算星期天一起去商场。

19. 我是 2000 年从日本的一个大学毕业的，毕业以后我在一家公司工作了三年。后来我辞职了，来到中国学了两年汉语。现在我在中国的一家日本公司工作。

★ 他大学毕业以后一直工作。

20. 昨天是我的生日，朋友们为我开了一个生日晚会。我们唱歌、跳舞，玩儿得非常开心，直到一点半才睡觉。今天早上我起床晚了，上课迟到了二十分钟。

★ 他今天没去上课。

第三部分

一共 10 个题，每题听两次。

例如：男：小王，帮我开一下门，好吗？谢谢！

女：没问题。您去超市了？买了这么多东西。

问：男的想让小王做什么？

现在开始第 21 题：

21. 女：小王，办公楼门前那辆白色的车是你的吧？

男：不，旁边那辆黑色的是我的。
问：小王的车是什么颜色的？

22. 男：妈妈，小明看什么呢？看得那么认真。
女：看小说呢，都看了一上午了。
问：小明看什么呢？

23. 男：劳驾，去颐和园坐几路车？
女：对不起，我也是来北京旅游的，你再问问别人吧。
问：女的来北京做什么？

24. 男：天太热了，给我来杯可乐。
女：我早上买了一个西瓜，在冰箱里放着呢，吃了就凉快了。
问：女的让男的吃什么？

25. 女：哥，今天的电视里也没有你说的那条消息呀。
男：你往下看，大概在后面呢。
问：他们在看什么？

26. 男：下个月是我女朋友的生日，我寄给她什么礼物好呢？毛衣还是高跟鞋？
女：中国的旗袍很漂亮，你给她买一件寄回国吧。
问：女的建议男的买什么礼物？

27. 男：我现在可以进去看他吗？
女：二十分钟以后才可以。他的手术很成功，别担心。
问：他们现在可能在哪儿？

28. 男：现在有些学生每周玩儿电脑游戏的时间是二十个小时。他们要是少上点儿网，学习成绩会比现在好。
女：你说得对。
问：他们对学生长时间玩儿游戏是什么态度？

29. 男：“十一”国庆节放七天假，你们一家三口准备去哪里旅行？
女：我正要和丈夫、孩子商量这件事呢。
问：女的一家要商量什么？

30. 男：爸爸的生日快到了，这是他退休后的第一个生日，给他买点儿什么好呢？
女：哥哥，我给他买了一只小狗，他每天带着小狗出去散步也是锻炼身体。
问：爸爸怎么了？

第四部分

一共 10 个题，每题听两次。

例如：女：晚饭做好了，准备吃饭了。
男：等一会儿，比赛还有三分钟就结束了。
女：快点儿吧，一起吃，菜凉了就不好吃了。
男：你先吃，我马上就看完了。
问：男的在做什么？

现在开始第 31 题：

31. 男：你喜欢哪个季节？
女：冬天太冷了，夏天又太热了。春天不错，就是太短了。
男：那就只有秋天了。
女：秋天不冷也不热，风也不大，还很凉爽！
问：他们在说什么呢？

32. 男：这里的啤酒好喝极了！
女：不错，酒吧里的歌曲也好听。
男：就是抽烟的人太多了。
女：一边喝酒一边抽烟对身体特别不好。
问：男的和女的在做什么？

33. 女：老王，我们医院新来了个年青人，叫张东。
男：我听说了，好像还没有女朋友呢。
女：是吗？李萍也没有男朋友。
男：那给他俩介绍介绍吧。
问：他们要帮张东做什么？

34. 男：喂，餐厅吗？我想要半斤饺子，送到 401 房间。
女：好的，半斤饺子送到 407 房间。
男：对不起，是 401，不是 407。
女：知道了。半小时后送到。再见。
问：饺子送到哪个房间？

35. 男：田芳，你作业做完了吗？
女：做完了，怎么啦？
男：这几道题真难，你给我讲讲吧。
女：好，我帮你看看。
问：他们是什么关系？

36. 女：今天真冷啊，零下十九度呢。明天天气怎么样？
男：明天有中雪。
女：那会更冷的。
男：可是听天气预报，气温还可以，不比今天温度低。
问：明天大概多少度？

37. 女：碗还没洗呢，你去洗吧。
男：你放那儿吧，我先抽根烟，一会儿洗。
女：那我去准备 HSK 考试了。
男：好好准备吧。
问：男的要先做什么？

38. 女：你最近还打不打乒乓球？
男：这些天来医院看病的人特别多，中午没有时间玩儿。
女：下班后也不行吗？
男：下班后特别累，就想回家休息！
问：关于男的，可以知道什么？

39. 男：你的书包真好看，尤其是上面的那几个足球。
女：这不是足球，是花儿。
男：是吗？这是我见过的最特别的花儿。
女：是很特别。
问：女的书包上有什么？

40. 女：我觉得河水比以前浅多了，能看到这么多鱼。
男：现在是春天，夏天的时候水就深了。
女：你看，这条鱼真大！
男：到了秋天的时候这里的鱼才大呢！
问：现在为什么能看到很多鱼？

听力考试现在结束。

答案 Answer Key

HSK（三级）模拟试卷 *1*

一、听 力

第一部分

1. C	2. F	3. D	4. E	5. A
6. B	7. C	8. E	9. D	10. A

第二部分

11. √	12. ×	13. ×	14. ×	15. ×
16. √	17. ×	18. ×	19. √	20. ×

第三部分

21. C	22. B	23. B	24. A	25. B
26. A	27. B	28. B	29. A	30. C

第四部分

31. C	32. B	33. A	34. B	35. B
36. C	37. C	38. A	39. A	40. B

二、阅 读

第一部分

41. B	42. D	43. A	44. E	45. C
46. C	47. A	48. B	49. D	50. E

第二部分

51. C	52. E	53. B	54. D	55. A
56. A	57. E	58. F	59. B	60. C

第三部分

61. C	62. C	63. B	64. C	65. B
66. B	67. C	68. C	69. B	70. C

三、书写

第一部分

71. 玛丽不会包饺子。/ 玛丽会包饺子不？
72. 他身体有点儿不舒服。
73. 你的房间号码是多少？/ 你房间的号码是多少？
74. 天突然下起雨来了。
75. 这次比赛在 2012 年夏天举行。/ 在 2012 年夏天举行这次比赛。

第二部分

76. 遍	77. 银	78. 半	79. 封	80. 作

HSK（三级）模拟试卷 *2*

一、听力

第一部分

1. F	2. A	3. E	4. B	5. C
6. D	7. E	8. A	9. B	10. C

第二部分

11. ×	12. √	13. √	14. √	15. ×
16. ×	17. ×	18. √	19. ×	20. √

第三部分

21. B	22. B	23. C	24. C	25. A
26. A	27. B	28. B	29. C	30. C

第四部分

31. B	32. A	33. C	34. A	35. A
36. C	37. C	38. B	39. C	40. B

二、阅 读

第一部分

41. C	42. F	43. B	44. E	45. A
46. C	47. A	48. B	49. E	50. D

第二部分

51. F	52. C	53. A	54. D	55. E
56. C	57. A	58. D	59. B	60. F

第三部分

61. B	62. C	63. B	64. C	65. B
66. C	67. B	68. B	69. C	70. C

三、书 写

第一部分

71. 姐姐在大使馆工作。
72. 同学们都非常高兴。
73. 王医生会说西班牙语。
74. 她汉语水平比我高。/ 我汉语水平比她高。
75. 北京奥运会是 2008 年举办的。

第二部分

76. 师　77. 习　78. 每　79. 译　80. 划

HSK（三级）模拟试卷 3

一、听 力

第一部分

1. B	2. A	3. F	4. E	5. D
6. E	7. B	8. C	9. A	10. D

第二部分

11. ×	12. ×	13. √	14. ×	15. ×
16. √	17. ×	18. ×	19. ×	20. ×

第三部分

21. C	22. B	23. A	24. B	25. A
26. C	27. C	28. B	29. C	30. B

第四部分

31. C	32. C	33. B	34. A	35. C
36. C	37. C	38. B	39. A	40. A

二、阅 读

第一部分

41. C	42. F	43. A	44. D	45. E
46. D	47. A	48. B	49. E	50. C

第二部分

51. A	52. B	53. E	54. F	55. C
56. B	57. F	58. A	59. E	60. D

第三部分

61. A	62. B	63. C	64. B	65. A
66. C	67. A	68. C	69. C	70. C

三、书写

第一部分

71. 电影马上快要开始了。
72. 你住在哪个城市？/ 你在哪个城市住？
73. 爷爷每天去公园打太极拳。/ 每天爷爷去公园打太极拳。
74. 你爸爸身体好吗？/ 爸爸，你身体好吗？
75. 他们已经不是小孩子了。

第二部分

76. 慢　　77. 听　　78. 昨　　79. 比　　80. 错

HSK（三级）模拟试卷 4

一、听力

第一部分

1. A	2. F	3. B	4. D	5. C
6. D	7. B	8. E	9. A	10. C

第二部分

11. √	12. ×	13. √	14. ×	15. ×
16. √	17. ×	18. ×	19. √	20. √

第三部分

21. A	22. C	23. B	24. B	25. A
26. C	27. C	28. A	29. C	30. B

第四部分

31. B	32. A	33. B	34. C	35. A
36. A	37. B	38. B	39. C	40. B

二、阅 读

第一部分

41. E	42. F	43. A	44. B	45. D
46. E	47. D	48. A	49. B	50. C

第二部分

51. D	52. C	53. E	54. A	55. F
56. B	57. F	58. C	59. E	60. D

第三部分

61. B	62. A	63. B	64. B	65. B
66. C	67. A	68. B	69. C	70. C

三、书 写

第一部分

71. 我要去银行换钱。
72. 我家附近有一条河。
73. 大卫汉语说得非常流利。
74. 留学生正在开联欢会呢。
75. 麦克学习到 12 点才睡觉。

第二部分

76. 兴　77. 多　78. 旅　79. 字　80. 茶

HSK（三级）模拟试卷 5

一、听 力

第一部分

1. D	2. E	3. A	4. B	5. C
6. E	7. C	8. A	9. B	10. D

第二部分

11. √	12. ×	13. √	14. √	15. √
16. ×	17. ×	18. √	19. ×	20. √

第三部分

21. B	22. C	23. C	24. A	25. C
26. C	27. B	28. C	29. B	30. A

第四部分

31. B	32. C	33. B	34. B	35. B
36. C	37. C	38. A	39. C	40. C

二、阅 读

第一部分

41. D	42. C	43. A	44. B	45. E
46. C	47. D	48. E	49. B	50. A

第二部分

51. D	52. A	53. C	54. B	55. F
56. B	57. A	58. F	59. C	60. E

第三部分

61. B	62. B	63. A	64. C	65. C
66. B	67. C	68. C	69. B	70. B

三、书 写

第一部分

71. 你去年怎么没回国？/ 去年你怎么没回国？
72. 她喝了一杯牛奶。
73. 玛丽是代表团的翻译。/ 代表团的翻译是玛丽。
74. 同学们喜欢用汉语聊天儿。
75. 老师让学生去图书馆借书。

第二部分

76. 岁	77. 京	78. 排	79. 室	80. 聊

HSK（三级）模拟试卷 *6*

一、听 力

第一部分

1. B	2. A	3. F	4. E	5. D
6. E	7. C	8. A	9. B	10. D

第二部分

11. √	12. ×	13. √	14. √	15. √
16. √	17. ×	18. √	19. √	20. ×

第三部分

21. C	22. B	23. B	24. C	25. A
26. C	27. B	28. C	29. A	30. B

第四部分

31. B	32. A	33. B	34. B	35. C
36. B	37. C	38. A	39. B	40. B

二、阅 读

第一部分

41. D	42. C	43. B	44. A	45. E
46. C	47. D	48. B	49. A	50. E

第二部分

51. E	52. F	53. A	54. B	55. D
56. D	57. A	58. C	59. F	60. B

第三部分

61. C	62. A	63. B	64. B	65. C
66. B	67. A	68. C	69. C	70. B

三、书写

第一部分

71. 你是哪国人？
72. 我打算以后再去旅游。
73. 他又来电话了。
74. 我看见王老师在教室上课呢。
75. 山田对武术很感兴趣。

第二部分

76. 借	77. 买	78. 刻	79. 离	80. 留

HSK（三级）模拟试卷 7

一、听力

第一部分

1. B	2. E	3. A	4. F	5. C
6. D	7. A	8. E	9. B	10. C

第二部分

11. √	12. √	13. ×	14. √	15. ×
16. √	17. √	18. ×	19. √	20. ×

第三部分

21. B	22. C	23. C	24. B	25. B
26. C	27. B	28. A	29. A	30. B

第四部分

31. B	32. B	33. A	34. B	35. A
36. B	37. A	38. B	39. B	40. C

二、阅读

第一部分

41. C	42. D	43. F	44. A	45. E
46. E	47. B	48. A	49. C	50. D

第二部分

51. C	52. D	53. F	54. E	55. A
56. B	57. A	58. E	59. C	60. F

第三部分

61. A	62. C	63. C	64. C	65. A
66. B	67. C	68. C	69. B	70. A

三、书写

第一部分

71. 你会唱京剧吗？/ 京剧你会唱吗？
72. 电影晚上七点一刻开始。
73. 下了课我们就去吃饭。/ 我们下了课就去吃饭。
74. 哥哥比我大两岁。
75. 请把这个句子翻译成汉语。

第二部分

76. 还　77. 色　78. 大　79. 快　80. 星

HSK（三级）模拟试卷 8

一、听 力

第一部分

1. C	2. A	3. E	4. F	5. D
6. B	7. E	8. A	9. D	10. C

第二部分

11. ×	12. √	13. ×	14. √	15. ×
16. √	17. ×	18. √	19. √	20. ×

第三部分

21. B	22. C	23. A	24. A	25. B
26. C	27. C	28. B	29. C	30. B

第四部分

31. C	32. A	33. B	34. C	35. C
36. C	37. A	38. C	39. C	40. A

二、阅 读

第一部分

41. E	42. C	43. A	44. B	45. F
46. D	47. A	48. C	49. B	50. E

第二部分

51. D	52. A	53. B	54. F	55. E
56. B	57. A	58. C	59. D	60. E

第三部分

61. B	62. A	63. C	64. A	65. C
66. C	67. B	68. C	69. B	70. C

三、书 写

第一部分

71. 我是坐船来中国的。
72. 图书馆里有许多书。
73. 哥哥和弟弟都喜欢游泳。/ 弟弟和哥哥都喜欢游泳。
74. 爸爸经常到广州出差。
75. 我们在车站等了半小时。

第二部分

76. 观　77. 同　78. 净　79. 正　80. 懂

HSK（三级）模拟试卷 *9*

一、听 力

第一部分

1. B	2. F	3. C	4. A	5. D
6. B	7. E	8. A	9. C	10. D

第二部分

11. √	12. ×	13. √	14. √	15. ×
16. √	17. ×	18. √	19. √	20. √

第三部分

21. A	22. C	23. B	24. A	25. C
26. B	27. B	28. C	29. B	30. A

第四部分

31. C	32. A	33. B	34. B	35. A
36. B	37. A	38. A	39. B	40. A

二、阅 读

第一部分

41. B	42. A	43. D	44. C	45. E

46. B	47. D	48. A	49. E	50. C

第二部分

51. B	52. C	53. A	54. E	55. F
56. B	57. A	58. C	59. F	60. D

第三部分

61. C	62. A	63. C	64. A	65. B
66. B	67. B	68. B	69. C	70. C

三、书 写

第一部分

71. 你在哪儿学习汉语？
72. 校长让你去他的办公室。
73. 姐姐下个月就要来北京了。/ 下个月姐姐就要来北京了。
74. 玛丽丢了一本德语词典。
75. 我觉得北京的秋天很美。/ 北京的秋天我觉得很美。

第二部分

76. 都	77. 发	78. 远	79. 完	80. 清

HSK（三级）模拟试卷 *10*

一、听 力

第一部分

1. C	2. F	3. A	4. E	5. D
6. D	7. B	8. E	9. A	10. C

第二部分

11. ×	12. ×	13. ×	14. ×	15. √
16. √	17. √	18. √	19. ×	20. ×

第三部分

21. B	22. B	23. A	24. B	25. A
26. C	27. A	28. B	29. B	30. A

第四部分

31. B	32. A	33. B	34. A	35. B
36. A	37. C	38. B	39. C	40. B

二、阅 读

第一部分

41. C	42. A	43. D	44. B	45. E
46. B	47. A	48. E	49. C	50. D

第二部分

51. C	52. A	53. D	54. F	55. E
56. B	57. F	58. A	59. E	60. D

第三部分

61. C	62. C	63. B	64. A	65. B
66. B	67. C	68. C	69. B	70. C

三、书 写

第一部分

71. 我很少去看京剧。/ 京剧我很少去看。
72. 姐姐买了一件新毛衣。/ 姐姐新买了一件毛衣。
73. 要是不下雨就去公园。
74. 排了半小时队才买到票。
75. 老师教我们唱中文歌。/ 我们教老师唱中文歌。

第二部分

76. 果　77. 书　78. 睡　79. 报　80. 演

HSK（三级）答题卡

一、听力

[A] [B] [C] [D] [E] [F]　6. [A] [B] [C] [D] [E] [F]
[A] [B] [C] [D] [E] [F]　7. [A] [B] [C] [D] [E] [F]
[A] [B] [C] [D] [E] [F]　8. [A] [B] [C] [D] [E] [F]
[A] [B] [C] [D] [E] [F]　9. [A] [B] [C] [D] [E] [F]
[A] [B] [C] [D] [E] [F]　10. [A] [B] [C] [D] [E] [F]

1. [√] [×]　16. [√] [×]　21. [A] [B] [C]
[√] [×]　17. [√] [×]　22. [A] [B] [C]
[√] [×]　18. [√] [×]　23. [A] [B] [C]
4. [√] [×]　19. [√] [×]　24. [A] [B] [C]
5. [√] [×]　20. [√] [×]　25. [A] [B] [C]

6. [A] [B] [C]　31. [A] [B] [C]　36. [A] [B] [C]
7. [A] [B] [C]　32. [A] [B] [C]　37. [A] [B] [C]
8. [A] [B] [C]　33. [A] [B] [C]　38. [A] [B] [C]
9. [A] [B] [C]　34. [A] [B] [C]　39. [A] [B] [C]
0. [A] [B] [C]　35. [A] [B] [C]　40. [A] [B] [C]

二、阅读

41. [A] [B] [C] [D] [E] [F]　46. [A] [B] [C] [D] [E] [F]
42. [A] [B] [C] [D] [E] [F]　47. [A] [B] [C] [D] [E] [F]
43. [A] [B] [C] [D] [E] [F]　48. [A] [B] [C] [D] [E] [F]
44. [A] [B] [C] [D] [E] [F]　49. [A] [B] [C] [D] [E] [F]
45. [A] [B] [C] [D] [E] [F]　50. [A] [B] [C] [D] [E] [F]

51. [A] [B] [C] [D] [E] [F]　56. [A] [B] [C] [D] [E] [F]
52. [A] [B] [C] [D] [E] [F]　57. [A] [B] [C] [D] [E] [F]
53. [A] [B] [C] [D] [E] [F]　58. [A] [B] [C] [D] [E] [F]
54. [A] [B] [C] [D] [E] [F]　59. [A] [B] [C] [D] [E] [F]
55. [A] [B] [C] [D] [E] [F]　60. [A] [B] [C] [D] [E] [F]

61. [A] [B] [C]　66. [A] [B] [C]
62. [A] [B] [C]　67. [A] [B] [C]
63. [A] [B] [C]　68. [A] [B] [C]
64. [A] [B] [C]　69. [A] [B] [C]
65. [A] [B] [C]　70. [A] [B] [C]

三、书写

71. ____________________
72. ____________________
73. ____________________
74. ____________________
75. ____________________

76. ☐　77. ☐　78. ☐　79. ☐　80. ☐

HSK（三级）答题卡

一、听力

1. [A] [B] [C] [D] [E] [F]　6. [A] [B] [C] [D] [E] [F]
2. [A] [B] [C] [D] [E] [F]　7. [A] [B] [C] [D] [E] [F]
3. [A] [B] [C] [D] [E] [F]　8. [A] [B] [C] [D] [E] [F]
4. [A] [B] [C] [D] [E] [F]　9. [A] [B] [C] [D] [E] [F]
5. [A] [B] [C] [D] [E] [F]　10. [A] [B] [C] [D] [E] [F]

11. [√] [×]　16. [√] [×]　21. [A] [B] [C]
12. [√] [×]　17. [√] [×]　22. [A] [B] [C]
13. [√] [×]　18. [√] [×]　23. [A] [B] [C]
14. [√] [×]　19. [√] [×]　24. [A] [B] [C]
15. [√] [×]　20. [√] [×]　25. [A] [B] [C]

26. [A] [B] [C]　31. [A] [B] [C]　36. [A] [B] [C]
27. [A] [B] [C]　32. [A] [B] [C]　37. [A] [B] [C]
28. [A] [B] [C]　33. [A] [B] [C]　38. [A] [B] [C]
29. [A] [B] [C]　34. [A] [B] [C]　39. [A] [B] [C]
30. [A] [B] [C]　35. [A] [B] [C]　40. [A] [B] [C]

二、阅读

41. [A] [B] [C] [D] [E] [F]　46. [A] [B] [C] [D] [E] [F]
42. [A] [B] [C] [D] [E] [F]　47. [A] [B] [C] [D] [E] [F]
43. [A] [B] [C] [D] [E] [F]　48. [A] [B] [C] [D] [E] [F]
44. [A] [B] [C] [D] [E] [F]　49. [A] [B] [C] [D] [E] [F]
45. [A] [B] [C] [D] [E] [F]　50. [A] [B] [C] [D] [E] [F]

51. [A] [B] [C] [D] [E] [F]　56. [A] [B] [C] [D] [E] [F]
52. [A] [B] [C] [D] [E] [F]　57. [A] [B] [C] [D] [E] [F]
53. [A] [B] [C] [D] [E] [F]　58. [A] [B] [C] [D] [E] [F]
54. [A] [B] [C] [D] [E] [F]　59. [A] [B] [C] [D] [E] [F]
55. [A] [B] [C] [D] [E] [F]　60. [A] [B] [C] [D] [E] [F]

61. [A] [B] [C]　66. [A] [B] [C]
62. [A] [B] [C]　67. [A] [B] [C]
63. [A] [B] [C]　68. [A] [B] [C]
64. [A] [B] [C]　69. [A] [B] [C]
65. [A] [B] [C]　70. [A] [B] [C]

三、书写

71. ______________________________
72. ______________________________
73. ______________________________
74. ______________________________
75. ______________________________

76. 〔 〕　77. 〔 〕　78. 〔 〕　79. 〔 〕　80. 〔 〕

图书在版编目(CIP)数据

新汉语水平考试模拟试题集．HSK 三级 / 金学丽主编．
—北京：北京语言大学出版社，2011 重印
ISBN 978-7-5619-2812-7

Ⅰ．①新… Ⅱ．①金… Ⅲ．①汉语—对外汉语教学—水平考试—习题 Ⅳ．①H195-44

中国版本图书馆 CIP 数据核字（2010）第 142436 号

书　　名：新汉语水平考试模拟试题集 HSK 三级
责任印制：姜正周

出版发行：北京语言大学出版社
社　　址：北京市海淀区学院路 15 号　　邮政编码：100083
网　　址：www. blcup. com
电　　话：发行部　82303650/3591/3648
　　　　　编辑部　82303647/3592
　　　　　读者服务部　82303653/3908
　　　　　网上订购电话　82303668
　　　　　客户服务信箱　service@ blcup. net
印　　刷：北京联兴盛业印刷股份有限公司
经　　销：全国新华书店

版　　次：2010 年 7 月第 1 版　2011 年 11 月第 4 次印刷
开　　本：787 毫米 × 1092 毫米　1/16　　印张：15. 25
字　　数：207 千字
书　　号：ISBN 978-7-5619-2812-7/H·10190
定　　价：52. 00 元（含录音 MP3）

凡有印装质量问题，本社负责调换，电话：82303590

HSK（三级）答题卡

一、听力

1. [A] [B] [C] [D] [E] [F]　6. [A] [B] [C] [D] [E] [F]
2. [A] [B] [C] [D] [E] [F]　7. [A] [B] [C] [D] [E] [F]
3. [A] [B] [C] [D] [E] [F]　8. [A] [B] [C] [D] [E] [F]
4. [A] [B] [C] [D] [E] [F]　9. [A] [B] [C] [D] [E] [F]
5. [A] [B] [C] [D] [E] [F]　10. [A] [B] [C] [D] [E] [F]

11. [√] [×]　16. [√] [×]　21. [A] [B] [C]
12. [√] [×]　17. [√] [×]　22. [A] [B] [C]
13. [√] [×]　18. [√] [×]　23. [A] [B] [C]
14. [√] [×]　19. [√] [×]　24. [A] [B] [C]
15. [√] [×]　20. [√] [×]　25. [A] [B] [C]

26. [A] [B] [C]　31. [A] [B] [C]　36. [A] [B] [C]
27. [A] [B] [C]　32. [A] [B] [C]　37. [A] [B] [C]
28. [A] [B] [C]　33. [A] [B] [C]　38. [A] [B] [C]
29. [A] [B] [C]　34. [A] [B] [C]　39. [A] [B] [C]
30. [A] [B] [C]　35. [A] [B] [C]　40. [A] [B] [C]

二、阅读

41. [A] [B] [C] [D] [E] [F]　46. [A] [B] [C] [D] [E] [F]
42. [A] [B] [C] [D] [E] [F]　47. [A] [B] [C] [D] [E] [F]
43. [A] [B] [C] [D] [E] [F]　48. [A] [B] [C] [D] [E] [F]
44. [A] [B] [C] [D] [E] [F]　49. [A] [B] [C] [D] [E] [F]
45. [A] [B] [C] [D] [E] [F]　50. [A] [B] [C] [D] [E] [F]

51. [A] [B] [C] [D] [E] [F]　56. [A] [B] [C] [D] [E] [F]
52. [A] [B] [C] [D] [E] [F]　57. [A] [B] [C] [D] [E] [F]
53. [A] [B] [C] [D] [E] [F]　58. [A] [B] [C] [D] [E] [F]
54. [A] [B] [C] [D] [E] [F]　59. [A] [B] [C] [D] [E] [F]
55. [A] [B] [C] [D] [E] [F]　60. [A] [B] [C] [D] [E] [F]

61. [A] [B] [C]　66. [A] [B] [C]
62. [A] [B] [C]　67. [A] [B] [C]
63. [A] [B] [C]　68. [A] [B] [C]
64. [A] [B] [C]　69. [A] [B] [C]
65. [A] [B] [C]　70. [A] [B] [C]

三、书写

71. ____ — —

72. ____ — —

73. ____ — —

74. ____ — —

75. ____ — —

76. =　77. =　78. =　79. =　80. =

HSK（三级）答题卡

一、听力

1. [A] [B] [C] [D] [E] [F]　6. [A] [B] [C] [D] [E] [F]
2. [A] [B] [C] [D] [E] [F]　7. [A] [B] [C] [D] [E] [F]
3. [A] [B] [C] [D] [E] [F]　8. [A] [B] [C] [D] [E] [F]
4. [A] [B] [C] [D] [E] [F]　9. [A] [B] [C] [D] [E] [F]
5. [A] [B] [C] [D] [E] [F]　10. [A] [B] [C] [D] [E] [F]

11. [√] [×]　16. [√] [×]　21. [A] [B] [C]
12. [√] [×]　17. [√] [×]　22. [A] [B] [C]
13. [√] [×]　18. [√] [×]　23. [A] [B] [C]
14. [√] [×]　19. [√] [×]　24. [A] [B] [C]
15. [√] [×]　20. [√] [×]　25. [A] [B] [C]

26. [A] [B] [C]　31. [A] [B] [C]　36. [A] [B] [C]
27. [A] [B] [C]　32. [A] [B] [C]　37. [A] [B] [C]
28. [A] [B] [C]　33. [A] [B] [C]　38. [A] [B] [C]
29. [A] [B] [C]　34. [A] [B] [C]　39. [A] [B] [C]
30. [A] [B] [C]　35. [A] [B] [C]　40. [A] [B] [C]

二、阅读

41. [A] [B] [C] [D] [E] [F]　46. [A] [B] [C] [D] [E] [
42. [A] [B] [C] [D] [E] [F]　47. [A] [B] [C] [D] [E] [
43. [A] [B] [C] [D] [E] [F]　48. [A] [B] [C] [D] [E] [
44. [A] [B] [C] [D] [E] [F]　49. [A] [B] [C] [D] [E] [
45. [A] [B] [C] [D] [E] [F]　50. [A] [B] [C] [D] [E] [

51. [A] [B] [C] [D] [E] [F]　56. [A] [B] [C] [D] [E] [
52. [A] [B] [C] [D] [E] [F]　57. [A] [B] [C] [D] [E] [
53. [A] [B] [C] [D] [E] [F]　58. [A] [B] [C] [D] [E] [F
54. [A] [B] [C] [D] [E] [F]　59. [A] [B] [C] [D] [E] [F
55. [A] [B] [C] [D] [E] [F]　60. [A] [B] [C] [D] [E] [F

61. [A] [B] [C]　66. [A] [B] [C]
62. [A] [B] [C]　67. [A] [B] [C]
63. [A] [B] [C]　68. [A] [B] [C]
64. [A] [B] [C]　69. [A] [B] [C]
65. [A] [B] [C]　70. [A] [B] [C]

三、书写

71. ______________________________
72. ______________________________
73. ______________________________
74. ______________________________
75. ______________________________

76. 　　77. 　　78. 　　79. 　　80.